Mewn Geiriau Eraill

Mewn Geiriau Eraill

Thesawrws i Blant

D. Geraint Lewis

Gomer

Gyda diolch i Sue Rees Butterworth,
Pennaeth Ysgol Gymunedol Llangwyryfon
am ei chyngor amserol.

Cyhoeddwyd yn 2011 gan
Wasg Gomer, Llandysul, Ceredigion SA44 4JL

ISBN 978 1 84323 861 4

Noddwyd gan Lywodraeth Cynulliad Cymru.

Cyhoeddwyd dan nawdd Cynllun Adnoddau Addysgu a Dysgu CBAC.

Argraffwyd a rhwymwyd yng Nghymru gan
Wasg Gomer, Llandysul, Ceredigion

Gair i'r Plant

Wyt ti wedi bod yn crafu dy ben erioed wrth geisio meddwl am y gair cywir?

Wyt ti wedi cael llond bol ar ddefnyddio'r un geiriau o hyd ac o hyd ac yn ysu am gael defnyddio geiriau newydd?

Wel, llongyfarchiadau! Dyma'r union fath o help sy'n cael ei gynnig i ti yma yn y thesawrws, *Mewn Geiriau Eraill*.

Ond beth yw thesawrws?

Llyfr sy'n cynnig nifer o eiriau newydd yn lle gair cyfarwydd. Mae hefyd yn llyfr sy'n gallu dy helpu i ddod o hyd i air nad wyt ti'n gallu ei gofio.

Sut mae defnyddio'r thesawrws hwn?

Mae *Mewn Geiriau Eraill* wedi ei greu mewn ffordd sydd yn hawdd i ti ei ddefnyddio. Dyma rai o'r pethau sydd angen i ti eu cofio wrth ei ddefnyddio:

1. Mae'r **pennawd**, sef y gair yr wyt ti'n fwyaf cyfarwydd ag ef, yn ymddangos mewn print coch ar ochr chwith y dudalen yn nhrefn yr wyddor.
2. Yn nesaf ato, mae disgrifiad o ba fath o air yw'r pennawd: *berfenw*, *ansoddair* neu *enw gwrywaidd* neu *enw benywaidd*.
3. Weithiau, mae ffurf luosog y gair pennawd i'w weld mewn print trwm o fewn cromfachau yn dilyn y disgrifiad o'r gair.
4. Wedyn, mae brawddeg sy'n dangos sut y mae'r gair pennawd yn gallu cael ei ddefnyddio.

5. Nesaf, daw rhestr o eiriau mewn bocsys coch. Dyma'r geiriau sydd agosaf eu hystyr at y gair yn y pennawd. Mae'n bosibl gosod y geiriau hyn yn lle'r gair pennawd yn y frawddeg enghreifftiol:

clwyf | **dolur** | **niwed**

Felly mae'n bosibl ysgrifennu:

*Rydw i wedi cael **clwyf** ar fy mhen-glin.*
*Rydw i wedi cael **dolur** ar fy mhen-glin.*
*Rydw i wedi cael **niwed** ar fy mhen-glin.*

Os nad wyt ti'n siŵr o ystyr y geiriau hyn mae'r geiriau mewn bocsys coch i gyd i'w cael yn *Geiriadur Cynradd Gomer*.

6. Wedyn, ceir rhestr o eiriau mwy arbenigol eu hystyr. Maen nhw'n debyg i'r gair pennawd ond yn fwy arbenigol. Gan eu bod nhw ychydig yn fwy dieithr, mae brawddeg enghreifftiol yn cael ei nodi i ddangos sut mae'r gair yn cael ei ddefnyddio. e.e.

   cwt *hwn* e.e. *Mae* ***cwt*** *cas ar goes Nia.*
   loes *hwn* e.e. *Wyt ti wedi cael* ***loes****?*
   briw *hwn* e.e. *Mae sawl* ***briw*** *ar gorff Ifan.*
   poen *hwn* e.e. *Does neb yn hoffi dioddef* ***poen****.*

   Yn yr achosion hyn, mae'n bosibl defnyddio'r gair pennawd yn lle'r gair o'r un ystyr yn y frawddeg, e.e.

   Does neb yn hoffi dioddef ***anaf****.*
   Mae ***anaf*** *cas ar goes Nia.*
   Wyt ti wedi cael ***anaf****?*
   Mae sawl ***anaf*** *ar gorff Ifan.*

7. Lle mae hynny'n bosibl, mae enghraifft o briod-ddull neu ddywediad sy'n perthyn i'r gair pennawd yn cael ei gynnwys, gydag eglurhad byr, e.e.

achwyn *berfenw* e.e. *Roedd Ioan yn* ***achwyn*** *bod pris y tocyn yn rhy uchel.*

achwyn fy nghwyn cwyno, grwgnach

8. Weithiau, mae geiriau sy'n groes eu hystyr i'r gair pennawd yn cael eu cynnwys, e.e. dan **achwyn**, mae:

Croesystyr: canmol

9. Os nad wyt ti wedi dod o hyd i'r union air yr wyt ti'n chwilio amdano dan y pennawd arbennig hwnnw, mae'n bosibl i ti edrych eto drwy ddilyn y cyfarwyddiadau canlynol:

achwyn *berfenw* e.e. *Roedd Ioan yn* ***achwyn*** *bod pris y tocyn yn rhy uchel.*

Edrychwch hefyd dan **dweud**

10. O dro i dro hefyd, bydd ambell restr neu 'deulu' o eiriau eithaf diddorol sy'n perthyn mewn rhyw ffordd i'r gair pennawd yn cael eu cynnwys, e.e. o dan y gair 'baban' mae rhestr o enwau Cymraeg ar rai bach gwahanol anifeiliaid ac o dan 'brifo' mae rhestr o'r enwau Cymraeg am wahanol fathau o salwch.

Yn dal i fethu dod o hyd i'r gair cywir?

Os wyt ti'n dal i fethu dod o hyd i'r union air yr wyt ti'n chwilio amdano, mae un lle pwysig arall ar ôl i dy helpu. Dyna'r Mynegai. Mae'r Mynegai yn cynnwys pob gair sy'n cael ei gynnwys yn y Thesawrws yn nhrefn yr wyddor ac yn dweud yn union lle mae dod o hyd i'r gair hwnnw yn y Thesawrws.

Gair i'r Oedolion

Thesawrws yw *Mewn Geiriau Eraill* sydd wedi ei lunio ar gyfer plant 8 oed ac yn hŷn, sef o Gyfnod Allweddol 2 ymlaen. Mae'n chwaer gyfrol i *Geiriadur Cynradd Gomer*. Ond tra bod geiriadur yn egluro ystyr geiriau unigol, cynnig enghreifftiau gwahanol ar eiriau o'r un ystyr y mae thesawrws. Felly, amcan *Mewn Geiriau Eraill* yw:

– helpu unigolyn i ddod o hyd i air nad yw'n gallu'i gofio;
– i chwilio am air newydd, tebyg ei ystyr, trwy edrych dan air mwy cyfarwydd.

Mae *Mewn Geiriau Eraill* wedi ei saernïo'n gelfydd ac wedi ei sefydlu ar egwyddorion pendant. Mae'r holl eiriau a nodir yn y gyfrol yn ymddangos naill ai yn *Geiriadur Cynradd Gomer*, yn achos y geiriau mwyaf cyfarwydd, neu yn *Geiriadur Gomer i'r Ifanc*, yn achos y geiriau llai cyfarwydd.

Mae'r cofnodion yn cyflwyno'r wybodaeth ganlynol:

- **Y Pennawd**: Dyma'r prif air, sef y gair cyfarwydd. Mae hwn wedi ei nodi mewn print coch bras ar ochr chwith y dudalen. Yn dilyn wedyn, dangosir pa fath o air yw'r pennawd, hynny yw berfenw, ansoddair neu enw gwrywaidd neu enw benywaidd, yn ogystal â ffurf luosog pob enw os yn briodol, cyn nodi brawddeg enghreifftiol sy'n cynnwys gair y pennawd. Weithiau, mae'n ofynnol treiglo gair y pennawd yn y frawddeg enghreifftiol, ond ceisir osgoi hynny os yn bosibl.

- **Geiriau Cyfnewid**: Dyma'r geiriau sydd agosaf eu hystyr at y gair yn y pennawd. Caiff y rhain eu nodi islaw'r wybodaeth uchod wedi eu gosod mewn bocsys coch ac mewn print bras du. Mae'r geiriau hyn yn cael eu diffinio yn *Geiriadur Cynradd Gomer*. Mae modd gosod y geiriau hyn yn lle gair y pennawd yn y frawddeg enghreifftiol. Ar adegau, bydd angen treiglo'r geiriau cyfnewid er mwyn eu gosod yn y frawddeg enghreifftiol.

- **Geiriau Mwy Arbenigol**: Mae'r rhain yn ymddangos mewn print du bras islaw'r geiriau cyfnewid ar ffurf rhestr. Mae'r geiriau yma'n debyg eu hystyr i air y pennawd ond yn fwy arbenigol. Fel arfer, gosodir y geiriau mwyaf cyfarwydd ar ben y rhestr a'r geiriau llai cyfarwydd neu dafodieithol yn is i lawr. Gan fod y geiriau hyn ychydig yn fwy anghyfarwydd, rhoddir brawddeg enghreifftiol yn dangos y gair ar waith. Unwaith eto, mae rhai o'r geiriau'n treiglo wrth gael eu cynnwys yn y brawddegau enghreifftiol. Yn yr achosion hyn y mae modd gosod gair y pennawd yn lle'r gair cyfystyr yn y frawddeg.

- **Priod-ddulliau**: Lle mae hynny'n bosibl nodir enghraifft o briod-ddull yn cynnwys gair y pennawd, neu briod-ddull sy'n awgrymu ystyr tebyg i air y pennawd. Nodir y rhain mewn print coch bras gydag eglurhad o'u hystyr hefyd.

- **Geiriau Croesystyr**: Lle mae hynny'n bosibl hefyd nodir enghreifftiau o eiriau croesystyr i air y pennawd.

- **Gwybodaeth Bellach**: Mae modd dod o hyd i eiriau eraill tebyg eu hystyr i air y pennawd mewn adrannau eraill o'r thesawrws hwn hefyd. Caiff y defnyddiwr ei gyfeirio at y geiriau hynny wrth ddilyn y cyfarwyddiadau sy'n dilyn: ***Edrychwch hefyd dan***.

- **Rhestri Eraill**: O dan rai penawdau, rhoddir 'teulu' o eiriau sy'n perthyn i air y pennawd. Gwybodaeth ychwanegol yw'r rhestri hyn a allai fod o ddiddordeb cyffredinol i'r defnyddiwr, e.e. dan **baban** ceir rhestr o enwau Cymraeg ar rai bach gwahanol anifeiliaid.

- **Y Mynegai**: Mae'r thesawrws, *Mewn Geiriau Eraill* ei hunan wedi'i drefnu'n fwriadol drwy ddewis geiriau cyfarwydd i'r defnyddiwr a'u gosod yn nhrefn yr wyddor. Er hwylustod i'r defnyddiwr, yng nghefn y gyfrol, gwelir Mynegai sy'n cynnwys pob gair sydd yn y Thesawrws ei hun a gwybodaeth ynglŷn â ble yn union y gellir dod o hyd i'r gair hwnnw. Mae'n bwysig i'r defnyddiwr gadw hynny mewn cof yn enwedig wrth ystyried y brawddegau enghreifftiol.

- **Treigladau**: Yn naturiol, mae geiriau yn y Gymraeg yn cael eu heffeithio'n achlysurol gan dreigladau. Mae'n bwysig i'r defnyddiwr gadw hynny mewn cof wrth ystyried y brawddegau enghreifftiol yn enwedig.

actio *berfenw* e.e. *Mae Ifan yn mwynhau **actio** dyn drwg.*

chwarae	dynwared	perfformio

portreadu e.e. *Roedd y plant yn y ddrama yn **portreadu** bywyd yn y pentref gan mlynedd yn ôl.*
copïo e.e. *Mae Gwen yn hoff o **gopïo** Dad yn chwyrnu.*
efelychu e.e. *Mae Llŷr yn un da am **efelychu** Siôn Corn.*
esgus bod e.e. *Pan oedd yn fach byddai John yn hoffi **esgus bod** yn glown.*
ffugio e.e. *Mae'n **ffugio** bod yn sâl er mwyn peidio mynd i'r ysgol.*
cymryd arno e.e. *Mae Siôn yn **cymryd arno** bod yn sâl er mwyn peidio gorfod mynd i'r gwaith.*
cymryd arni e.e. *Mae Sioned yn **cymryd arni** bod yn sâl er mwyn peidio gorfod mynd i'r gwaith.*

***Edrychwch hefyd dan* perfformio; twyllo**

achub *berfenw* **achub rhag** e.e. *Daeth Tom i **achub** llygoden **rhag** y gath.*

arbed	amddiffyn

adfer e.e. *Gwnaeth y Doctor ei orau glas i **adfer** bywyd y bachgen bach ar ôl iddo gael ei dynnu allan o'r afon.*
diogelu e.e. *Mae ymbarél yn **diogelu** pawb rhag glaw.*
safio (wrth siarad) e.e. *Mae'r meddyg wedi **safio** bywyd y claf.*

achub cam (rhywun) siarad o blaid rhywun
achub y cyfle cymryd mantais

achwyn *berfenw* e.e. *Roedd Ioan yn **achwyn** bod pris y tocyn yn rhy uchel.*

cwyno	grwgnach

swnian achwyn yn uchel (yn y Gogledd) e.e. *Roedd Mam yn **swnian** pan welodd y llanast yn fy ystafell wely.*

achwyn fy nghwyn cwyno, grwgnach

Croesystyr: **canmol**

adeiladu *berfenw* e.e. *Maen nhw'n **adeiladu** tai newydd ar lan y môr.*

codi | **datblygu**

creu e.e. *Pwy sydd wedi **creu**'r tŵr yma?*
gwneud e.e. *Rydw i'n hoffi **gwneud** tŵr cardiau.*

adeiladu cestyll yn yr awyr breuddwydio neu ddychmygu gwneud pethau mawr

Croesystyr: **chwalu; dymchwel**

adrodd *berfenw* e.e. *Mae Marged yn hoffi **adrodd*** y gerdd hon.

llefaru

cyflwyno e.e. *Mae Mam-gu'n medru **cyflwyno** barddoniaeth yn uchel a chlir.*
datgan e.e. *Mae'r pennaeth wedi **datgan** y bydd yr ysgol ar gau yfory.*

Edrychwch hefyd dan **dweud; sgwrsio**

addo *berfenw* e.e. *Rydw i'n **addo** gorffen y gwaith i gyd cyn iddi nosi.*

addunedu

sicrhau e.e. *Mae'n rhaid i ni **sicrhau** arian i gronfa'r ysgol.*
tyngu addo rhywbeth difrifol e.e. *Mae'r lleidr wedi **tyngu** na fydd yn dwyn eto.*
gwarantu cytuno i rywbeth yn ffurfiol e.e. *Roedd yr adeiladwr yn **gwarantu** y byddai wedi gorffen y gwaith i gyd cyn diwedd yr wythnos.*

addo'r byd ceisio cael rhywun i wneud rhywbeth trwy addo unrhyw beth iddyn nhw

Edrychwch hefyd dan **proffwydo**

aflonydd *ansoddair* e.e. *Dyna gi bach **aflonydd** yw hwn!*

bywiog | **prysur**

anesmwyth e.e. *Mae Elin yn teimlo'n **anesmwyth** wrth hedfan.*
anniddig anesmwyth a blin e.e. *Mae'r babi bach **anniddig** yn crio.*
afreolus heb reolaeth drosto e.e. *Dyna fachgen bach **afreolus** yw Huw!*

 Croesystyr: **llonydd**

 ***Edrychwch hefyd dan*** **bywiog**

agor *berfenw*

1. ***agor rhywbeth*** e.e. *Wyt ti'n medru **agor** y pwythau yma?*

datod

datglymu rhyddhau rhywbeth wedi'i glymu e.e. *Gwaith anodd oedd **datglymu** gât yr ardd.*
datgloi agor clo e.e. *Roedd rhaid **datgloi** drws y sied.*
rhwygo agor drwy dorri rhywbeth e.e. *Mae draenen wedi **rhwygo** fy nghrys.*

2. ***lledu*** e.e. *Tynnodd lun o eryr yn **lledu** ei adenydd.*

estyn

gwahanu cadw ar wahân e.e. *Roedd y llyfr wedi gwlychu felly roedd rhaid bod yn ofalus wrth geisio **gwahanu**'r tudalennau.*

Dulliau o agor rhych neu ffos:

Gweithred	***offeryn***
aredig	aradr
ceibio	caib
palu	pâl
cloddio	peiriant
rhofio	rhaw

 **agor fy mhig** dweud rhywbeth heb angen

 Croesystyr: **cau**

agos *ansoddair*

1. ***cyfeillgar*** e.e. *Mae Catrin a minnau yn ffrindiau **agos** iawn.*

clòs

mynwesol calon wrth galon e.e. *Ffrindiau **mynwesol** yw'r ffrindiau gorau.*

2. ***yn agos at*** adferf e.e. *Wyt ti'n byw* ***yn agos at*** *y siop?*

ger	yn ymyl	gerllaw	ar bwys

ar gyfyl yn agos i rywun neu rywbeth (ond mewn brawddeg negyddol fel arfer) e.e. *Dydw i ddim eisiau mynd* ***ar gyfyl*** *y lle eto.*

bod yn agos ati bron â bod yn gywir

Croesystyr: **pell**

anghywir *ansoddair* e.e. *Mae ateb y cwestiwn yn* ***anghywir***.

gwallus

ar gam dweud neu wneud rhywbeth yn anghywir
ei methu hi cael rhywbeth yn anghywir

Croesystyr: **cywir**

amau *berfenw* e.e. *Rydw i'n* ***amau*** *bod Asif yn dweud celwydd.*

ofni	poeni

drwgdybio e.e. *Mae'r heddlu'n dechrau* ***drwgdybio*** *Catrin.*

Croesystyr: **bod yn sicr**

amddiffyn *berfenw* **amddiffyn rhag** e.e. *Mae'r clawdd yn* ***amddiffyn*** *y defaid* ***rhag*** *y storm.*

cysgodi

gwarchod gofalu am e.e. *Pwy sy'n* ***gwarchod*** *y castell rhag gelynion heddiw?*

achub cam amddiffyn rhywun drwy siarad drosto/drosti
cadw rhan bod ar yr un ochr â rhywun neu rywbeth
gofalu am amddiffyn rhywun neu rywbeth

Croesystyr: **ymosod ar**

amhosibl *ansoddair* e.e. *Mae'r dasg yma'n gwbl **amhosibl**!*

anymarferol | **afresymol**

Ymadroddion i'w defnyddio pan fydd pethau'n amhosibl:

bugeilio'r brain (fel bugeilio defaid)
casglu mwg i fwcedi
chwalu niwl â ffon
golchi traed yr alarch yn wyn (traed du sydd gan alarch)
taflu het yn erbyn y gwynt

Tri pheth sydd yn anodd imi
Cyfri'r sêr pan fo hi'n rhewi;
Rhoi fy llaw ar gwr y lleuad
A gwybod meddwl f'annwyl gariad.

 Croesystyr: **posibl**

amlwg *ansoddair*

1. ***hawdd gweld*** e.e. *Mae'r ateb yn hollol **amlwg**.*

eglur

clir e.e. *Roedd hi'n hollol **glir** fod y plant yn hoffi siocled.*
plaen e.e. *Roedd hi'n eithaf **plaen** pwy oedd wedi ennill.*
llachar yn disgleirio e.e. *Mae'r lleuad yn **llachar** iawn heno.*

2. ***enwog*** e.e. *Mae un o sêr **amlwg** Hollywood yn dod i agor yr ysgol newydd.*

enwog | **adnabyddus**

blaenllaw yn fwy amlwg na phawb arall e.e. *Mae Ifan yn aelod **blaenllaw** o'r clwb criced.*

 ***Edrychwch hefyd dan*** clir

 Croesystyr: **anadnabyddus**

amser *hwn: enw* **(amserau)** e.e. *Rydw i'n mwynhau* ***amser*** *y Nadolig.*

adeg

ysbaid *hwn neu hon* cyfnod llai na 'sbel' e.e. *Rhaid i mi gael* ***ysbaid*** *i gael fy ngwynt ataf.*

Cyfnod byr iawn:

nawr/rŵan e.e. *Rhowch hwnna lawr* ***nawr!/rŵan****!*
ar unwaith e.e. *Dewch yma* ***ar unwaith!***
yn syth e.e. *Rhedodd* ***yn syth*** *at ei fam.*
yn sydyn e.e. ***Yn sydyn****, dyma'r car yn dechrau llithro i un ochr.*
y funud yma e.e. *Dewch i mewn* ***y funud yma****!*
ymhen dim e.e. *Cyrhaeddodd yr ambiwlans* ***ymhen dim*** *amser.*
mewn chwinciad chwannen e.e. *Byddaf yno* ***mewn chwinciad chwannen****.*
whap (yn y De, wrth siarad) e.e. *Bydd hi'n amser cinio* ***whap****!*
glatsh (yn y De, wrth siarad) e.e. *Byddaf i gyda ti* ***glatsh!***
ennyd e.e. *Roedd hi'n braf cael aros am* ***ennyd*** *i fwynhau'r olygfa.*
cyn pen dim e.e. *Fe fydda i wedi gorffen y gwaith* ***cyn pen dim****.*

Cyfnod ychydig yn hirach:

mewn munud e.e. *Byddwn yno* ***mewn munud****.*
yn y man e.e. *Bydd Dad gartref* ***yn y man****.*
ar fyr o dro e.e. *Gallaf dacluso fy ystafell wely* ***ar fyr o dro****.*
yn fuan e.e. *Byddwn yn cyrraedd* ***yn fuan****.*
cyn bo hir e.e. *Bydd hi'n adeg y Nadolig eto* ***cyn bo hir****.*
toc e.e. *Bydd hi'n amser cinio* ***toc****.*
ers meitin (yn y Gogledd) e.e. *Rwy'n barod* ***ers meitin****.*

Cyfnod hirach eto o amser:

ymhen hir a hwyr e.e. *Bydd Illtud yn gorffen ei waith* ***ymhen hir a hwyr****.*
gyda hyn e.e. *Cawn datws newydd o'r ardd* ***gyda hyn****.*
o'r diwedd e.e. *Dyma'r bws yn cyrraedd* ***o'r diwedd****.*
sbel (wrth siarad) e.e. *Dydw i ddim wedi ei weld e ers* ***sbel****.*
ers tro e.e. *Dydw i ddim wedi gweld draenog* ***ers tro****.*
o dipyn i beth e.e. *Llwyddodd i orffen y marathon* ***o dipyn i beth****.*

Cyfnodau hir:

cyfnod *hwn* gall ymestyn o fisoedd hyd at flynyddoedd e.e. *Roedd* ***cyfnod*** *y Tuduriaid yn amser diddorol iawn mewn hanes.*
oes *hon* cyfnod hyd at gannoedd neu filoedd o flynyddoedd e.e. *Rydw i'n hoff iawn o glywed sôn am* ***Oes*** *yr Iâ.*

amser a ddengys fe ddaw popeth yn glir, ond i chi fod yn amyneddgar

anaf *hwn: enw* **(anafiadau)** e.e. *Rydw i wedi cael* ***anaf*** *ar fy mhen-glin wrth chwarae pêl-droed.*

clwyf	dolur	niwed

cwt *hwn* e.e. *Mae* ***cwt*** *cas ar goes Nia.*
loes *hwn* e.e. *Wyt ti wedi cael* ***loes*** *wrth syrthio?*
briw *hwn* e.e. *Mae sawl* ***briw*** *ar gorff Amir.*
poen *hwn* e.e. *Does neb yn hoffi dioddef* ***poen****.*

 ***Edrychwch hefyd dan*** **clefyd; niwed**

anfon *berfenw* **anfon at** berson; **anfon i** le e.e. *Wyt ti wedi* ***anfon*** *carden pen-blwydd* ***at*** *Anti Bet eto? Rydw i wedi* ***anfon*** *carden* ***i****'r tŷ ddoe.*

gyrru	postio	danfon

hebrwng mynd yn gwmni e.e. *A wnei di* ***hebrwng*** *chwaer Dilwyn i'r orsaf?*
hala (wrth siarad) e.e. *Rydw i wedi* ***hala*** *ateb i'r gwahoddiad.*

 **taro nodyn** danfon gair at rywun ar dipyn o frys

 Croesystyr: **derbyn**

anffodus *ansoddair* e.e. *Roedd Elin yn* ***anffodus*** *i ddod yn ail yn y ras.*

anlwcus

truenus e.e. *Mae golwg* ***druenus*** *wedi mynd ar yr hen dŷ.*

 Croesystyr: **ffodus**

anhygoel *ansoddair* e.e. *Mae'r consuriwr yn gwneud triciau* ***anhygoel****.*

anarferol	gwyrthiol	rhyfeddol

anghredadwy ni ellir credu'r peth e.e. *Mae'r olygfa o ben tŵr Eiffel yn* ***anghredadwy****.*
syfrdanol yn gwneud i mi sefyll yn syfrdan e.e. *Roedd cân olaf y band yn hollol* ***syfrdanol****.*
chwedlonol e.e. *Dyma lyfr arbennig o straeon am gampau* ***chwedlonol*** *Twm Siôn Cati.*
aruthrol e.e. *Cyflawnodd y dyn dall gamp* ***aruthrol*** *wrth ddringo'r mynydd.*

a
b
c
ch
d
dd
e
f
ff
g
ng
h
i
j
l
ll
m
n
o
p
ph
r
rh
s
t
th
u
w
y

anifail *hwn: enw* **(anifeiliaid)** e.e. *Mae sawl* ***anifail*** *yn y cae.*

creadur

bwystfil anifail gwyllt e.e. *Mae pobl y pentref yn credu bod* ***bwystfil*** *yn y goedwig.*

Dywediadau am anifeiliaid:

mor addfwyn ag oen
mor ara' deg â malwen
mor bigog â draenog
mor brysur â morgrugyn
mor ddall â thylluan
mor dew â mochyn
mor dlawd â llygoden eglwys
mor dwt â nyth y dryw
mor dywyll â bol buwch
mor ddi-ddal â cheiliog gwynt
mor ddistaw â llygoden
mor ddiwyd â gwenynen
mor ddu â brân
mor falch â phaun
mor falch ag alarch ar lyn
mor frau â gwe pry cop
mor glyd â nyth y dryw
mor goch â chrib ceiliog
mor gryf â march
mor gyfrwys â llwynog
mor gyfrwys â sarff
mor iach â chricsyn
mor llawen â'r gog
mor llon â brithyll
mor llywaeth â llo
mor oer â thrwyn ci
mor sâl â chi
mor wan â chath
mor wyllt â chacwn

anniben *ansoddair* e.e. *Mae'r ystafell yma mor* ***anniben*** *wedi'r parti!*

blêr

aflêr e.e. *Mae gwallt Rhian yn* ***aflêr*** *iawn heddiw.*
blith-draphlith e.e. *Mae'r llyfrau'n* ***blith-draphlith*** *ar y silff.*
di-drefn e.e. *Roedd pentyrau* ***di-drefn*** *o bapur ar y ddesg.*
di-lun diolwg, hyll e.e. *Ystafell* ***ddi-lun*** *oedd yng nghefn y tŷ.*
anhrefnus e.e. *Mae hi'n berson* ***anhrefnus*** *dros ben.*

Edrychwch hefyd dan **dyrys**

Croesystyr: taclus

anniddorol *ansoddair* e.e. *Roedd y ffilm yn hir ac yn **anniddorol**.*

diflas	undonog	sych

hirwyntog e.e. *Dyna araith **hirwyntog**!*
marwaidd e.e. *Roedd llais yr athrawes yn **farwaidd** iawn.*
di-fflach e.e. *Stori **ddi-fflach** yw hon heb ddim cyffro ynddi.*
di-ffrwt e.e. *Dyna beth oedd rhaglen **ddi-ffrwt**!*

 **yn rhygnu ymlaen** yn mynd ymlaen ac ymlaen

 ***Edrychwch hefyd dan*** **sych**

 Croesystyr: **difyr; diddorol**

annwyl *ansoddair* e.e. *Plentyn bach **annwyl** yw Alun.*

hoffus	dymunol	serchog	agos atoch

hawddgar hyfryd a dymunol e.e. *Un **hawddgar** ei natur yw Mr Jones.*
ffel e.e. *Dyma gi bach **ffel** iawn.*

 **Annwyl Mr Jones/Annwyl Mrs Jones** y ffordd arferol o gychwyn llythyr

 ***Edrychwch hefyd dan*** **caredig; hyfryd**

 Croesystyr: **cas**

anodd *ansoddair* e.e. *Roedd yr ail gwestiwn yn y prawf yn un **anodd** ofnadwy.*

caled	astrus	dyrys

trafferthus e.e. *Un digon **trafferthus** yw'r bachgen newydd.*
anystywallt heb reolaeth dros rywun e.e. *Plant bach **anystywallt** sydd yn y dosbarth derbyn.*
anghyfleus e.e. *Fe allwn ni alw eto os yw'r amser yn **anghyfleus** nawr.*

 **anodd tynnu cast o hen geffyl** anodd newid ffordd o ymddwyn
anodd i neidr anghofio sut i frathu nid yw'n rhwydd newid neu wella arferion drwg

 Croesystyr: **hawdd; rhwydd**

ansicr *ansoddair* e.e. *Rydw i'n* ***ansicr*** *o'r ateb.*

amheus

aneglur heb fod yn glir e.e. *Rydw i'n dal yn* ***aneglur*** *ynglŷn â'r ateb.*
petrus yn poeni e.e. *Mae'n* ***betrus*** *iawn ynglŷn â'r arholiad.*
penagored e.e. *Mae'r dewis yn* ***benagored*** o hyd.
sigledig heb fod yn gadarn e.e. *Gafael* ***sigledig*** *sydd ganddo ar y bêl.*
simsan e.e. *Roedd yr hen wraig yn eithaf* ***simsan*** *ar ei thraed.*
annelwig heb fod yn glir ei ffurf e.e. *Disgrifiad digon* ***annelwig*** *roddodd Gareth o'r dyn a ymosododd arno.*

rhwng dau feddwl methu penderfynu
cloffi bod yn ansicr

Croesystyr: **sicr**

araf *ansoddair* e.e. *Creadur* ***araf*** *ei gam yw'r crwban.*

hamddenol

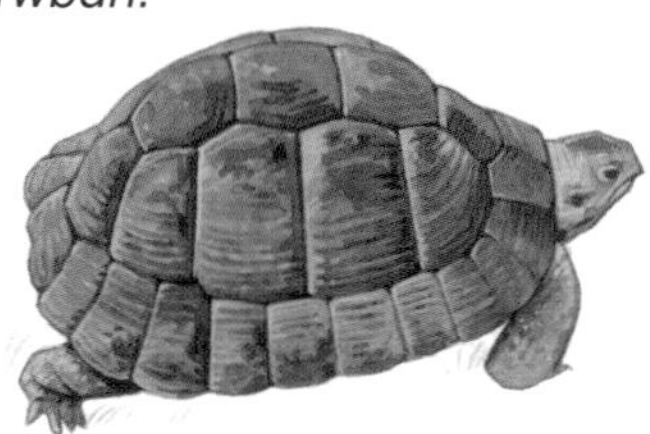

pwyllog e.e. *Mae Mam bob amser yn ateb y ffôn yn* ***bwyllog***.
ling-di-long mynd yn hamddenol e.e. *Cerddodd yn* ***ling-di-long*** *lawr y stryd.*
gan bwyll heb ruthro e.e. ***Gan bwyll****, paid â dychryn yr aderyn.*

mynd yn ara' deg bach mynd gan bwyll
yn ara' deg mae mynd yn bell rhybudd i beidio â rhuthro
ar ei hôl hi ddim mor gyflym â'r disgwyl

Croesystyr: **cyflym; buan**

arbennig *ansoddair*

1. ***arbennig o dda*** e.e. *Mae gwaith Manon o safon* ***arbennig***.

neilltuol	anghyffredin	rhagorol	eithriadol

nodedig e.e. *Dyma ddigwyddiad* ***nodedig*** *mewn hanes.*
gwych e.e. *Dyna beth oedd perfformiad* ***gwych***.

2. ***arbennig o ddrwg*** e.e. *Mae gwaith Llŷr yn **arbennig** o wael.*

anghyffredin | **eithriadol**

affwysol gwael iawn e.e. *Roedd ei berfformiad yn **affwysol** o wael.*

 ***Edrychwch hefyd dan*** **drwg**

 Croesystyr: **cyffredin; gwael; gwan**

arllwys *berfenw* e.e. *Mae hi'n **arllwys** y glaw y tu allan.*

tywallt

rhedeg e.e. *Mae'r chwys yn **rhedeg** o dalcen Siân wedi'r ras.*
llifo e.e. *Mae'r nant yn **llifo** dros y graig i'r môr.*
dylifo e.e. *Mae dŵr o'r afon yn **dylifo** i mewn i'r tai wedi'r storm.*
pistyllio e.e. *Mae dŵr yn **pistyllio** o'r twll yng ngwaelod y bwced.*

arogl *hwn: enw* **(arogleuon)**

1. ***arogl da*** *hwn* e.e. *Mae **arogl** braf gan y blodyn yma.*

persawr | **gwynt**

perarogl *hwn* gair ychydig yn fwy hen ffasiwn am ***persawr*** e.e. *Mae gan y blodyn **berarogl** hyfryd.*

2. ***arogl drwg*** *hwn* e.e. *Mae **arogl** drwg yn dod o'r domen sbwriel.*

drewdod

gwynt e.e. *Mae **gwynt** ofnadwy'n dod o'r gegin.*
sawr e.e. *Mae'n gas gen i **sawr** bresych yn berwi.*

arogli *berfenw* e.e. *Mae'n bosibl **arogli** gwynt y môr ar y traeth.*

gwynto | **ffroeni** | **clywed**

synhwyro e.e. *Cododd ei ben i **synhwyro**'r gwynt.*
drewi arogli'n ddrwg e.e. *Mae traed Dad bob amser yn **drewi**.*

aros *berfenw*

1. ***peidio symud*** e.e. *Mae'n rhaid* ***aros*** *ac edrych cyn croesi'r heol.*

sefyll | **oedi**

disgwyl e.e. *Rydw i wedi bod yn* ***disgwyl*** *amdanat ers awr!*
parcio e.e. *Rydym wedi* ***parcio*** *wrth ymyl y llyn.*

Croesystyr: mynd

2. ***byw a bod*** e.e. *Rydw i'n hoffi* ***aros*** *yn y dref.*

treulio amser | **lletya** | **trigo**

aros ar fy nhraed peidio mynd i'r gwely
byw a bod aros am gyfnod o amser

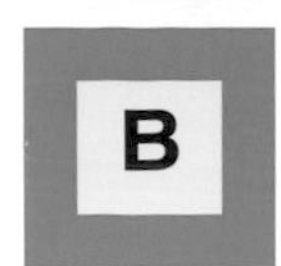

B

baban *hwn: enw* **(babanod)** e.e. *Mae'n cymryd naw mis i* ***faban*** *dyfu o fewn ei fam.*

babi

Enwau am anifeiliaid ifanc:
(Sylwch: dim ond pobl sy'n medru cael 'babanod')

Anifail	**Un bach**
aderyn	**cyw** *hwn*
ceffyl	**ebol** *hwn*, **eboles** *hon*
dafad	**oen** *hwn*
eog	**gleisiad** *hwn*
gafr	**myn** *hwn*
buwch	**llo** *hwn*
mochyn	**porchell** *hwn*
llwynog/cadno	**cenau** *hwn*

Rhai enwau hoffus am fabi bach:

pwtyn *hon*
pwten *hwn*
siwgr candi
twtsyn *hwn*
twtsen *hon*
fy maban gwyn i
yr hen un bach/fach

 Croesystyr: **oedolyn**

bach *ansoddair*

1. ***heb fod yn fawr*** e.e. *Mae smotiau* ***bach*** *amryliw ar y defnydd.*

mân **bychan**

byr e.e. *Bachgen* ***byr*** *iawn yw Gareth.*

2. ***heb fod yn ddigon*** e.e. ***Bach*** *iawn o arian y mae hi'n ennill am ei holl waith caled.*

ychydig

pitw e.e. *Roedd aderyn* ***pitw*** *yn chwilio am fwyd yn yr ardd.*

Ymadroddion sy'n cynnwys 'bach':

tŷ bach twt
hen wraig fach annwyl
hen ddyn bach cas
hen le bach annifyr
yn dawel bach
gan bwyll bach
yn ara' deg bach

bach y nyth y cyw olaf yn y nyth; am y plentyn ieuengaf mewn teulu

Croesystyr: mawr

bai *hwn: enw* **(beiau)** e.e. *Ar John roedd y* ***bai*** *am y ddamwain.*

cyfrifoldeb

gwendid *hwn* heb fod yn gryf e.e. *Roedd rhyw* ***wendid*** *yn y metel yn achosi i'r fforc blygu.*

heb ei fai heb ei eni does neb yn berffaith; mae rhywbeth yn bod arnom i gyd

Edrychwch hefyd dan **camgymeriad**

balch *ansoddair*

1. ***yn hapus dros ben*** e.e. *Mae'r plant yn* ***falch*** *eu bod wedi ennill y gêm.*

bodlon | **hapus** | **llawen**

diolchgar e.e. *Rydw i'n* ***ddiolchgar*** *iawn am bob cefnogaeth.*

2. ***yn meddwl yn fawr ohono'i hun/ohoni'i hun*** e.e. *Person **balch** iawn yw'r tywysog.*

hunanol

ffroenuchel edrych lawr trwyn e.e. *Roedd y nyrs yn rhy **ffroenuchel** i'n helpu ni.*
mawreddog e.e. *Does neb yn fwy **mawreddog** na Mrs Huws.*
snobyddlyd e.e. *Mae rhywbeth **snobyddlyd** iawn am y dduges.*

tlawd a balch ffordd o ymateb i'r cwestiwn 'Sut ydych chi heddiw?'

Croesystyr: **caredig; annwyl**

barn *hon: enw* e.e. *Yn fy **marn** i, Lerpwl yw'r tîm gorau.*

meddwl

safbwynt *hwn* 'fy marn i' e.e. *Beth yw dy **safbwynt** di ynglŷn â gwisg ysgol?*

digon o farn am rywun neu rywbeth sy'n boendod, neu'n niwsans
dweud ei farn dweud beth mae'n meddwl am rywbeth

beio *berfenw* **beio am**; **beio ar** e.e. *Mae Dad yn **beio** ci drws nesaf am achosi'r llanast yn yr ardd.*

cyhuddo

bwrw'r bai ar e.e. *Mae Elin yn **bwrw'r bai ar** Siôn am dorri'r ffenestr.*

Edrychwch hefyd dan **achwyn**

beirniadu *berfenw*

1. ***penderfynu pa mor dda neu ddrwg mae rhywbeth*** e.e. *Pwy sy'n **beirniadu**'r gystadleuaeth arlunio eleni?*

barnu | **dyfarnu**

asesu e.e. *Mae'r gwaith yn cael ei **asesu** ar hyn o bryd.*
marcio e.e. *Bydd Mrs Huws yn **marcio** ein gwaith cartref ni heno.*

a b c ch d dd e f ff g ng h i j l ll m n o p ph r rh s t th u w y

2. ***gweld bai ar rywun neu rywbeth*** e.e. *Mae'r heddlu'n **beirniadu**'r holl blant drwg am achosi helynt yn y dref.*

lladd ar

dwrdio e.e. *Mae Mam yn **dwrdio** Mot o hyd.*
lambastio e.e. *Cafodd Guto ei **lambastio** am dorri'r ffenest.*
melltithio e.e. *Roedd Nain yn **melltithio**'r papur newydd am ddangos ei llun.*

beirniadu'n hallt gweld bai mawr ar rywun
trin a thrafod ystyried rhywbeth
pwyso a mesur casglu'r holl ffeithiau cyn penderfynu

Croesystyr: **canmol**

bendigedig *ansoddair* e.e. *Dyma lyfr **bendigedig** am hanes y teulu.*

ardderchog | **gwych** | **da** | **arbennig** | **rhagorol**

Ystyr wreiddiol y gair 'bendigedig' oedd ***yn derbyn bendith Duw*** e.e. *'O fy Iesu **bendigedig**'.*

Croesystyr: **ofnadwy**

blasus *ansoddair* e.e. *Rydw i'n hoffi cawl **blasus** Nain.*

amheuthun | **ffein**

stori fach flasus: newyddion blasus stori hel clecs neu glepian

Edrychwch hefyd dan **braf, melys**

Croesystyr: **di-flas**

bonheddig *ansoddair*

1. ***o dras uchel*** e.e. *Teulu **bonheddig** oedd yn arfer byw yn y plas.*

urddasol

nobl yn edrych fel bonheddwr e.e. *Roedd Mei yn edrych yn **nobl** ar gefn ceffyl.*

2. ***cwrtais a charedig*** **e.e.** *Does neb yn fwy* ***bonheddig*** *na Doctor Jones.*

mwyn	hael	caredig

moesgar e.e. *Does neb yn fwy* ***moesgar*** *na Meinir.*

brolio *berfenw* e.e. *Mae Llŷr yn* ***brolio*** *mai ef yw'r cyflymaf yn yr ysgol.*

bostio	ymffrostio

gor-ddweud e.e. *Mae Mari'n* ***gor-ddweud*** *yr hanes am y ddamwain o hyd.*

braf *ansoddair*

1. ***hyfryd*** e.e. *Cawsom wyliau* ***braf*** *yn Ffrainc eleni.*

hyfryd	gwych	dymunol	godidog	bendigedig

pleserus e.e. *Teimlad* ***pleserus*** *oedd bwyta cacen siocled amser te.*
tan gamp e.e. *Cafodd y plant ddiwrnod* ***tan gamp*** *yn y sw.*
penigamp e.e. *Mae'n lle* ***penigamp*** *i gynnal parti.*
heb ei ail e.e. *Mae'n lle* ***heb ei ail*** *ar gyfer dringo, nofio a hwylio.*

X Croesystyr: **diflas**

2. ***hardd*** e.e. *Coeden fawr* ***braf*** *sydd ar ben y bryn.*

hardd	prydferth

X Croesystyr: **hyll**

3. ***mawr*** e.e. *Mae'n debyg mai banc yw'r adeilad* ***braf*** *ar gornel y stryd.*

mawr	eang

X Croesystyr: **bach**

4. ***tywydd braf*** e.e. *Mae'n dywydd* ***braf*** *heddiw.*

cynnes	heulog	teg

hindda e.e. *Does dim yn well gen i na thywydd* ***hindda****.*

Edrychwch hefyd dan **da; hyfryd**

X Croesystyr: **diflas; drwg**

brifo *berfenw* e.e. *Rydw i wedi **brifo** fy nhroed wrth gicio'r garreg.*

clwyfo	anafu	cleisio	niweidio

dolurio e.e. *Mae fy llygaid yn **dolurio** ar ôl bod allan yn y gwynt.*
gwynio e.e. *Mae'r graith yma yn **gwynio** o hyd ar ôl tynnu'r plastr.*
poeni e.e. *Mae fy nghoes i'n dal i fy **mhoeni** i ar ôl i'r bachgen fy nghicio.*

Darn o'r corff:	***Enw'r dolur:***
pen	**pen tost / cur pen** *hwn*
clust	**pigyn clust** *hwn*
dannedd	**dannodd** *hon*
gwddf	**llwnc tost / dolur gwddf** *hwn*
stumog	**bola tost / poen bol** *hwn*

brifo teimladau achosi poen i rywun o ddweud neu wneud rhywbeth cas

Croesystyr: gwella

brith *ansoddair*

Ymadroddion sy'n cynnwys 'brith':

bara brith	teisen a chwrens drwyddi
ceffyl brith: buwch fraith	anifeiliaid â chotiau smotiog neu amryliw
gwallt brith	llwyd ei liw
y siaced fraith	cot amryliw Joseff yn y Beibl
yn frith o wallau	â llawer iawn o gamgymeriadau

brwd *ansoddair* e.e. *Mae'r plant yn nofwyr mwy **brwd** na'u rhieni.*

awyddus	brwdfrydig	taer	tanbaid

eiddgar eisiau dechrau e.e. *Roedd Mair yn **eiddgar** i fynd ar y daith.*
selog cyson e.e. *Heulwen yw un o ddilynwyr mwyaf **selog** y tîm pêl-rwyd.*
pybyr yn frwdfrydig iawn e.e. *Mae Dai yn un o gefnogwyr **pybyr** y tîm.*
garw (yn y Gogledd) e.e. *Un **garw** am ei fwyd yw Gari.*

brwnt *ansoddair*

1. ***a baw drosto*** (yn y De) e.e. *Paid ti â dod i mewn i'r tŷ yn dy esgidiau **brwnt**.*

budr **bawlyd** **mochynnaidd**

llychlyd e.e. *Mae dy draed di'n **llychlyd**.*
mwdlyd e.e. *Roedd y cae yn wlyb a **mwdlyd**.*

 Croesystyr: **glân**

2. ***angharedig*** (yn y Gogledd) e.e. *Hen dro **brwnt** oedd baglu'r ferch fach.*

creulon

ffiaidd e.e. *Mae ei agwedd at y plant eraill yn **ffiaidd** iawn.*

 ***Edrychwch hefyd dan*** **cas; ffyrnig**

 Croesystyr: **caredig**

brysio *berfenw* e.e. *Rhaid **brysio** rhag colli'r bws.*

rhuthro

cyflymu e.e. *Mae'r ambiwlans yn **cyflymu** er mwyn cyrraedd y ddamwain.*
prysuro e.e. *Well i ti **brysuro** i gyrraedd yr ysgol mewn pryd.*
hastu (yn y De, wrth siarad) e.e. *Paid â **hastu** gormod, rhag i ti syrthio.*
gwylltu prysuro yn ormodol nes colli rheolaeth e.e. *Roedd Mari yn **gwylltu** i ateb y drws ffrynt ar ôl clywed y gloch.*

brysiwch heibio galwch yn y tŷ y tro nesaf
brysiwch wella gobeithio y gwnewch chi wella'n gyflym
rhedeg a rasio ffordd arall o ddweud 'rhuthro'
gwasgu arni mynd yn gyflym iawn
mynd ar garlam carlamu fel ceffyl
teimlo gwres fy nhraed gorfod symud yn gyflym

 Croesystyr: **arafu**

bwrw *berfenw* e.e. *Paid â **bwrw**'r drws mor galed.*

curo **taro**

Enghreifftiau o wahanol ffyrdd o fwrw:

cicio	taro gyda'ch **troed**
cnocio	taro gyda'ch **migyrnau**
cledro	taro gyda **chledr y llaw**
chwipio	taro gyda **chwip**
ffusto	taro gyda **ffust** (teclyn dyrnu)
morthwylio	taro gyda **morthwyl**
penio	taro gyda'ch **pen**
ergydio	taro ergydion
llorio	bwrw i'r llawr

Rhai o eiriau llafar y Gogledd:	*Rhai o eiriau llafar y De:*
pannu	**hemo**
colbio	**wado**
waldio	**colbo**
rhoi stid i	**pwno**
leinio	**rhoi coten i**
	rhoi bonclust i

Edrychwch hefyd dan **gwthio**

byr *ansoddair* e.e. *Gwallt* ***byr*** *sydd gan Elin.*

cwta

cryno wedi'i grynhoi e.e. *Ysgrifennwch baragraff* ***cryno*** *yn sôn am y trip.*
twt e.e. *Disgrifiad* ***twt*** *o'r llyfr sydd yn y broliant.*
pwt e.e. ***Pwt*** *o gân oedd gan Alys i'w dysgu.*

ar fyr o eiriau heb ddweud llawer
byr ei dymer heb lawer o amynedd ac yn colli tymer yn rhwydd
stori fer enw am ddarn o ryddiaith gyda dechrau, canol a diwedd

Croesystyr: tal; maith; hir

byrlymu *berfenw* e.e. *Roedd y dŵr yn* ***byrlymu*** *o'r twll yn yr heol.*

tasgu **llifo**

berwi e.e. *Mae'r cawl yn **berwi** ac mae'n barod i'w fwyta.*
sisial sŵn byrlymu tawel e.e. *Mae'r nant yn **sisial** rhwng y brwyn.*
ewynnu yn creu ewyn e.e. *Mae'r tonnau'n **ewynnu** wedi'r storm.*
pefrio tasgu fel swigod mewn pop e.e. *Roedd y pop yn **pefrio** pan agorodd Siân y botel.*

byrlymu â syniadau bod â llond pen o syniadau newydd

Croesystyr: **gostegu**

bywiog *ansoddair* e.e. *Plant **bywiog** yw efeilliaid drws nesaf.*

sionc	heini	brwdfrydig

llawn bywyd yn fywiog iawn
llawn asbri yn llawn bywyd
llawn hwyl a sbri yn llawn hwyl
llawn egni yn llawn brwdfrydedd

***Edrychwch hefyd dan* aflonydd**

Croesystyr: **marwaidd**

C

cadarn *ansoddair* e.e. *Mae gan yr athletwr goesau* ***cadarn*** *a chryf.*

grymus

pwerus llawn grym e.e. *Mae coesau* ***pwerus*** *gan y ceffyl rasio acw.*

diod gadarn alcohol

Edrychwch hefyd dan **cryf; solet**

Croesystyr: **gwan**

caled *ansoddair*

1. ***heb fod yn feddal*** e.e. *Mae'r hen dorth yma wedi mynd yn* ***galed.***

sych **cras**

anhyblyg anodd plygu e.e. *Mae'r clai wedi sychu a mynd yn* ***anhyblyg.***
haearnaidd e.e. *Mae agwedd y plismon at y lleidr yn* ***haearnaidd.***

Croesystyr: **meddal**

2. ***yn golygu llawer o waith neu egni*** e.e. *Roedd pawb yn gweithio'n* ***galed*** *i orffen adeiladu'r tŷ cyn y gaeaf.*

egnïol

nerthol llawn nerth e.e. *Bydd rhwyfo* ***nerthol*** *y criw yn help i ennill y ras.*

Edrychwch hefyd dan **anodd; cryf; garw**

Croesystyr: **gwan**

cam *ansoddair* e.e. *Llwybr* ***cam*** *sy'n arwain i ben y mynydd.*

igam-ogam

crwca wedi'i wyro e.e. *Roedd gan yr hen ŵr gefn* ***crwca.***
anunion e.e. *Roedd y llinell pwythau yn* ***anunion*** *ac yn anniben.*

cael bai ar gam beio rhywun dieuog
dau ddwbl a phlet wedi'i blygu'n ofnadwy
edrych yn gam ar rywun edrych yn ddrwgdybus, mewn ffordd amheus

Croesystyr: **syth**

camddeall *berfenw* e.e. *Rwyt ti'n **camddeall** yr hyn a ddywedais i.*

camgymryd

camddehongli dehongli yn anghywir e.e. *Mae'n hawdd **camddehongli** ysgrifen flêr Llŷr.*
camdybied meddwl yn anghywir e.e. *Mae Alys wedi **camdybied** mai cawl sydd i ginio.*

Edrychwch hefyd dan **cymysgu**

Croesystyr: **deall**

camgymeriad *hwn: enw* **(camgymeriadau)** e.e. *Mae **camgymeriad** amlwg ar y dudalen hon.*

camsyniad	gwall	bai

llithriad *hwn* canlyniad i lithro e.e. ***Llithriad** olygodd bod gan Jac fwstard ar ei fyrgyr yn lle sos coch.*
cam gwag *hwn* e.e. ***Cam gwag** oedd mynd i'r ysgol heb got.*

caredig *ansoddair* e.e. *Dyn **caredig** iawn yw Mr Williams.*

cyfeillgar	annwyl	cymwynasgar	tirion

addfwyn mwyn a thyner e.e. *Mae hi'n **addfwyn** iawn gyda'r plant.*
mwyn e.e. *Mae gwên **fwyn** ar wyneb Mam-gu o hyd.*
clên e.e. *Teulu **clên** iawn yw ein cymdogion newydd.*
hynaws e.e. *Hen gymeriad **hynaws** oedd Mr Jones.*
ffeind e.e. *Merch **ffeind** iawn yw Siân sy'n barod i helpu pawb.*

Edrychwch hefyd dan **annwyl; serchog**

Croesystyr: **angharedig; cas**

a b c ch d dd e f ff g ng h i j l ll m n o p ph r rh s t th u w y

cartref *hwn: enw* **(cartrefi)**

Enw'r cartref:	*Pwy/beth sy'n byw yno:*
beudy *hwn*	gwartheg
bwthyn *hwn*	pobl
castell *hwn*	arglwydd/arglwyddes
corlan *hon*	defaid
cwt *hwn*	ci; ieir
ffau *hon*	llew/llewes
gwâl *hon*	cadno/llwynog
llety *hwn*	lletywr/lletywraig
lloches *hon*	ffoadur
llys *hwn*	brenin/brenhines
nyth *hwn* neu *hon*	aderyn
palas *hwn*	brenin/brenhines
plas *hwn*	bonheddwr/boneddiges
stabal *hon*	ceffyl/caseg
twlc *hwn*	mochyn/hwch
twll *hwn*	llygoden
tŷ *hwn*	pobl
tyddyn *hwn*	tyddynnwr

caru *berfenw* e.e. *Os ydyn nhw'n **caru** ei gilydd, pam maen nhw'n cweryla?*

hoffi | **addoli**

dwlu ar hoffi yn fawr e.e. *Rydw i'n **dwlu ar** fefus a hufen.*
canmol anwylo'n gariadus e.e. *Mae Mari'n **canmol** y gath yn ei chôl.*

✗ **Croesystyr: casáu**

cas *ansoddair* e.e. *Hen ŵr **cas** yw William Evans.*

creulon | **blin** | **pigog**

angharedig e.e. *Dyna beth **angharedig** i'w ddweud!*
maleisus e.e. *Un **maleisus** yw gŵr y siop.*
annifyr e.e. *Mae arogl llosgi **annifyr** yn dod o'r gegin.*
sbeitlyd e.e. *Hogan fach **sbeitlyd** yw Bethan.*
mileinig e.e. *Dyn **mileinig** yw rheolwr y tîm pêl-droed.*
sarrug sur e.e. *Hen ddyn **sarrug** oedd yr arholwr.*

ffiaidd cas iawn e.e. *Roedd y bwli yn* ***ffiaidd*** *tuag at y plant bach.*
brwnt e.e. *Hen dric* ***brwnt*** *oedd hwnna i chwarae ar dy frawd.*

 ***Edrychwch hefyd dan*** **anodd; creulon; drwg**

 Croesystyr: **dymunol**

casgliad *hwn: enw* **(casgliadau)** e.e. *Mae* ***casgliad*** *arbennig o luniau cŵn gan Megan.*

set | **cronfa**

twr *hwn* e.e. *Daeth* ***twr*** *o bapurau yn y blwch ailgylchu.*
crugyn *hwn* e.e. *Roedd y cybydd wedi cuddio* ***crugyn*** *o arian dan ei wely.*
detholiad *hwn* e.e. *Roedd* ***detholiad*** *o siocledi blasus yn y bocs.*

Man lle ceir casgliad:	***O beth?***
acwariwm *hwn*	pysgod
amgueddfa *hon*	creiriau
archifdy *hwn*	hen ddogfennau
blodeugerdd *hon*	cerddi
carnedd *hon*	cerrig
llyfrgell *hon*	llyfrau
llynges *hon*	llongau
modurdy *hwn*	ceir
mynwent *hon*	beddau
oriel *hon*	lluniau
sw *hwn*	anifeiliaid
tusw *hwn*	blodau

 ***Edrychwch hefyd dan*** **torf; grŵp**

 Croesystyr: **chwalfa**

cefnogi *berfenw* e.e. *Mae Mari'n* ***cefnogi****'r chwaraewyr eraill yn y tîm.*

helpu

cynorthwyo bod yn gynhorthwy e.e. *Mae ei deulu'n* ***cynorthwyo*** *Robin bob amser y mae mewn trwbwl.*
annog perswadio e.e. *Mae'r dorf yn gweiddi er mwyn* ***annog*** *eu tîm.*

a b c ch d dd e f ff g ng h i j l ll m n o p ph r rh s t th u w y

a
b
c
ch
d
dd
e
f
ff
g
ng
h
i
j
l
ll
m
n
o
p
ph
r
rh
s
t
th
u
w
y

cymeradwyo e.e. *Rydw i'n **cymeradwyo**'r syniad yn fawr.*
eilio cefnogi cynnig mewn cyfarfod e.e. *Cafodd y cynnig ei **eilio** gan bawb.*
hybu rhoi hwb i rywun neu rywbeth e.e. *Mae'r cwmni'n **hybu** bwyta ffrwythau ffres bob dydd.*

 **bod o blaid; bod dros; bod yn gefn** gwahanol ffyrdd o gefnogi

 Croesystyr: **gwrthwynebu**

ceisio *berfenw* e.e. *Mae'n rhaid **ceisio** gwneud teisen i de heddiw.*

cynnig	ymdrechu

anelu at e.e. *Rydw i'n **anelu at** sgorio cant o rediadau yn y gêm griced.*
pysgota am e.e. ***Pysgota am** wybodaeth y mae'r heddlu drwy holi cwestiynau.*
gwneud fy ngorau i e.e. *Rydw i'n **gwneud fy ngorau i** gadw at y rheolau.*

 ***Edrychwch hefyd dan*** **chwilio; gofyn; cynnig**

cerdded *berfenw* e.e. *Dacw'r merched yn **cerdded** lawr y stryd.*

camu	gorymdeithio	mynd am dro

troedio gosod troed e.e. *Mae'n rhaid **troedio**'n ofalus wrth groesi'r bont.*
brasgamu cymryd camau mawr e.e. *Mae Aled yn **brasgamu** tua'r cae chwarae.*
sgipio llusgo un droed tra'n codi'r llall e.e. *Mae'r ferch fach yn **sgipio** i lawr yr heol.*
bracsan:bracso (yn y De) troedio mewn dŵr e.e. *Peth braf yw cael **bracsan** yn nŵr y môr.*
damsang e.e. *Gofala na fyddi di'n **damsang** dros y blodau i gyd.*
sathru e.e. *Mae'r gwartheg wedi **sathru** ar draws y lawnt ar ôl dianc o'r cae.*
pystylad codi a gostwng eich troed yn yr unfan e.e. *Mae'r ceffylau yn **pystylad** yn y baw.*
stablad e.e. *Mae'r gwartheg yn **stablad** yn y llaid.*

 **cerdded wrth fy mhwysau** cerdded yn hamddenol

 Croesystyr: **sefyll; rhedeg**

ceryddu *berfenw* e.e. *Cafodd y plant eu **ceryddu**'n hallt am groesi'r caeau a gadael y gatiau i gyd ar agor.*

cosbi

dwrdio dweud y drefn e.e. *Dyw'r fam ddim yn hoffi **dwrdio** ei phlant.*
disgyblu dod dan ddisgyblaeth e.e. *Mae'n rhaid **disgyblu**'r ci am redeg ar ôl y defaid.*

dweud y drefn cael 'row'
cael pryd o dafod cael 'row'
cael stŵr cael pregeth

Croesystyr: **canmol**

cilio *berfenw* e.e. *Mae'r haul yn **cilio** tu ôl i'r cwmwl.*

dianc	**ffoi**

diflannu e.e. *Mae'r plant wedi **diflannu** o'r parc.*
tynnu yn ôl e.e. *Mae'r fyddin yn dechrau **tynnu yn ôl** erbyn hyn.*
machlud e.e. *Mae'r haul yn **machlud** dros y gorwel.*

Edrychwch hefyd dan **dianc**

Croesystyr: **rhuthro ymlaen**

clefyd *hwn: enw* **(clefydau)** e.e *Mae **clefyd** ofnadwy ar Dad ac mae'n sâl iawn yn ei wely.*

salwch	**dolur**	**afiechyd**	**haint**

anhwylder *hwn* salwch e.e. *Mae'n dioddef **anhwylder** ar y meddwl ac mae'n colli ei gof.*
tostrwydd *hwn* salwch (yn y De) e.e. *Mae Mam-gu yn dioddef **tostrwydd** sy'n ei gwneud hi'n ddall.*
gwaeledd *hwn* rhywbeth sy'n eich achosi i deimlo'n wael e.e. ***Gwaeledd** sy'n effeithio ar blant yw'r frech goch.*

Edrychwch hefyd dan **anaf; niwed**

clir *ansoddair* e.e. *Dŵr **clir** sydd yn y ffynnon.*

gloyw	glân	eglur

eglur e.e. *Mae'r ateb i'r cwestiwn yn **eglur**.*
tryloyw medru gweld drwy rywbeth e.e. *Mae dŵr glân yn hylif **tryloyw**.*
plaen heb addurn e.e. *Gwydr **plaen** sydd i'r drws newydd.*

 **mor glir â hoel ar bost** yn gwbl amlwg

 ***Edrychwch hefyd dan*** **amlwg**

 Croesystyr: **aneglur; tywyll**

clod *hwn: enw* **(clodydd)** e.e. *Mae Gwilym wedi derbyn **clod** ar ôl ennill y gystadleuaeth.*

canmoliaeth

mawl *hwn* canmoliaeth i Dduw neu bendefig e.e. *Mae'r Salmau'n canu **mawl** i Dduw.*
bri *hwn* enwogrwydd e.e. *Mae **bri** i enw Bryn Terfel drwy'r byd.*
anrhydedd *hwn* neu *hon* canmoliaeth uchel e.e. *Mae ei lwyddiant ar y meysydd chwarae wedi dod ag **anrhydedd** i'r ysgol.*

 **canu clodydd (rhywun)** canmol yn fawr

 Croesystyr: **bai; beirniadaeth**

clymu *berfenw* e.e. *Mae'n rhaid **clymu**'r ci cas rhag iddo gnoi rhywun.*

cadwyno

rhwymo e.e. *Mae'n rhaid **rhwymo** cadach glân am goes y claf.*
cydio e.e. *Mae'n rhaid **cydio** dechrau a diwedd y stori wrth ei gilydd.*
harneisio e.e. *Mae'n rhaid **harneisio**'r ceffyl yn barod i fynd i'r sioe.*

 ***Edrychwch hefyd dan*** **plethu**

 Croesystyr: **datod; datglymu**

a b c ch d dd e f ff g ng h i j l ll m n o p ph r rh s t th u w y

coeden *hon: enw* **(coed)** e.e. *Sawl* ***coeden*** *sydd yn yr ardd?*

Enw coeden:	***Lluosog:***
bedwen	bedw
castanwydden	castanwydd
cedrwydden	cedrwydd
celynnen	celyn
cerddinen	cerddin
collen	cyll
derwen	derw: deri
ffawydden	ffawydd
gwernen	gwern
helygen	helyg
llwyfen	llwyf
masarnen	masarn
onnen	ynn: onn
pinwydden	pinwydd
ysgawen	ysgaw
ywen	yw

coginio *berfenw* e.e. *Rydw i'n hoffi* ***coginio*** *selsig i swper.*

Dulliau o goginio:

berwi	pys
crasu	bara
ffrio	cig moch
goferwi	wy
pobi	teisen
rhostio	cig
tostio	bara

cosbi *berfenw* e.e. *Mae'n rhaid* ***cosbi****'r gyrrwr am yrru'n rhy gyflym.*

disgyblu

ceryddu cael eich dwrdio e.e. *Mae'r athro'n* ***ceryddu*** *plant drwg o hyd.*

a b c ch d dd e f ff g ng h i j l ll m n o p ph r rh s t th u w y

Ffyrdd arbennig o gosbi:

carcharu	mewn carchar
alltudio	danfon o'ch gwlad eich hun
caethgludo	symud fel caethwas i wlad arall
dienyddio	lladd yn gyfreithiol fel cosb
dirwyo	gorfodi rhywun i dalu arian

 Croesystyr: **gwobrwyo**

crafu *berfenw* e.e. *Mae'r coler yma'n **crafu** fy ngwddf.*

cosi	**goglais**	**rhwbio**

pilio: plicio e.e. *Dydw i ddim yn hoffi **pilio** tatws newydd.*
cribinio crafu ynghyd e.e. *Mae'n rhaid **cribinio**'r dail at ei gilydd â rhaca.*

crafu pen bod mewn penbleth
crafu byw o'r llaw i'r genau; yn dlawd iawn
fel y crafa'r iâr y piga'r cyw rhywun iau yn dysgu trwy ddilyn esiampl rhywun hŷn

 Croesystyr: **esmwytho**

craff *ansoddair* e.e. *Roedd Mair yn ddigon **craff** i ddeall.*

galluog	**doeth**	**siarp** (wrth siarad)	**call**

miniog e.e. *Mae gan y llwynog synhwyrau **miniog** iawn.*
llym e.e. *Mae gan Elin lygaid **llym** sy'n gweld popeth.*
sylwgar yn sylwi ar bethau e.e. *Merch **sylwgar** iawn yw Siwan.*
treiddgar yn gweld trwy bethau e.e. *Mae sylwadau'r beirniad yn rhai **treiddgar** iawn.*

 ***Edrychwch hefyd dan*** **doeth**

 Croesystyr: **twp; hurt; annoeth**

cras *ansoddair* e.e. *Mae sŵn **cras** gan y brain sy'n crawcian yn y coed.*

cas

croch e.e. *Mae lleisiau **croch** iawn gan y dorf.*
garw e.e. *Sŵn **garw** iawn sydd gan y côr wrth ganu.*

 Croesystyr: **pêr**

credu *berfenw* e.e. *Rydw i'n **credu** mai plismon yw tad Elin.*

meddwl **deall** **derbyn** **casglu**

barnu bod o'r farn e.e. *Rydw i'n **barnu** y bydd popeth yn iawn wedi'r storm.*
coelio e.e. *Dydw i ddim yn **coelio**'r stori am funud.*
tybio meddwl bod rhywun yn gwneud rhywbeth e.e. *Rydw i'n **tybio** mai sôn am y tîm criced yr oedd y dyn.*

 **methu credu fy nghlustiau** ymateb wedi clywed hanes annisgwyl am rywun neu rywbeth

 ***Edrychwch hefyd dan* ffydd**

crefftwr *hwn: enw* **(crefftwyr)**

Enw'r crefftwr:	***Yn llunio neu yn cyweirio:***
adeiladydd	yn codi adeiladau
clociwr	yn creu clociau
crochenydd	yn creu crochenwaith
crydd	yn gwneud esgidiau
chwarelwr	yn cloddio creigiau
glöwr	yn cloddio glo
gof	yn trin metel
gwehydd	yn gwau
gwniadydd(es)	yn gwnïo
melinydd	yn malu ŷd yn flawd
peiriannydd	yn creu peiriannau
saer coed	yn trin coed
saer maen	yn trin cerrig
teiliwr	yn creu dillad
töwr	yn toi adeiladau
turniwr	yn troi pren

creulon *ansoddair* e.e. *Mae'r fyddin wedi dioddef ymosodiad* ***creulon*** *gan y gelyn.*

ffyrnig	erchyll

milain yn dangos casineb e.e. *Wyneb* ***milain*** *sydd gan y llofrudd.*
ciaidd ymddwyn fel anifail e.e. *Roedd yr ymosodiad yn un* ***ciaidd****.*
ffiaidd cas ofnadwy e.e. *Cafodd y ci bach ei drin yn* ***ffiaidd*** *gan y teulu.*
didrugaredd heb drugaredd e.e. *Cafodd y carcharor ei gosbi'n* ***ddidrugaredd****.*

 ***Edrychwch hefyd dan*** **cas**

 Croesystyr: **caredig; tirion**

cryf *ansoddair* e.e. *Mae'r dyn* ***cryf*** *yn medru codi'r bocs trwm.*

cyhyrog	grymus

nerthol yn llawn nerth e.e. *Gwynt* ***nerthol*** *sy'n dod o'r dwyrain.*
cadarn e.e. *Mae angen esgidiau* ***cadarn*** *arnat i ddringo'r mynydd.*
cydnerth cryf a llydan e.e. *Chwaraewr rheng flaen* ***cydnerth*** *yw Ianto.*

 **oni byddi gryf bydd gyfrwys** os nad ydych chi'n berson cryf yn gorfforol, defnyddiwch eich pen i gyrraedd y nod

 ***Edrychwch hefyd dan*** **caled**

 Croesystyr: **gwan**

cuddio *berfenw* e.e. *Mae'r dyn yn* ***cuddio****'i ben moel â het.*

gorchuddio

claddu e.e. *Mae'r plant wedi* ***claddu*** *eu traed yn y tywod.*
celu e.e. *Ydych chi'n ceisio* ***celu****'r gwir?*
llechu cuddio eich hun e.e. *Roedd y dyn yn* ***llechu*** *y tu ôl i'r clawdd.*
cysgodi bod mewn cysgod e.e. *Mae'n bwysig* ***cysgodi*** *rhag yr haul.*
llochesu bod mewn lloches e.e. *Roedd pawb yn* ***llochesu*** *rhag y glaw.*
cwato (yn y De) e.e. *Roedd Elin yn* ***cwato*** *y tu ôl i'r sied.*

 **cuddio cannwyll dan lestr** am rywun galluog sydd yn swil neu nad yw eu dawn wedi'i gydnabod

Croesystyr: **arddangos; dangos; datgelu**

cwympo *berfenw* e.e. *Mae Casi wedi **cwympo** ar yr iâ.*

syrthio | **disgyn** | **llithro** | **baglu**

cael codwm e.e. *Mae Rhodri wedi **cael codwm** yn yr ysgol.*
torri i lawr e.e. *Mae'n rhaid **torri**'r coed **i lawr** cyn adeiladu'r tŷ.*

cwympo ar fy mai cyfaddef
cwympo rhwng dwy stôl methu dewis rhwng dau beth ac yn y diwedd colli'r ddau
cwympo coed torri coed i lawr
syrthio ar fai cyfaddef y gwir

Croesystyr: **sefyll; codi**

cyfaddef *berfenw* e.e. *Mae Ifan wedi **cyfaddef** mai ef oedd olaf yn y ras.*

cyffesu | **datgelu**

cydnabod derbyn e.e. *Rydw i'n **cydnabod** y dylwn fod wedi gweithio yn galetach ar gyfer yr arholiad.*
derbyn e.e. *Mae'n rhaid **derbyn** mai Twm oedd ar fai.*

Croesystyr: **gwadu**

cyfaill *hwn: enw* **cyfeilles** *hon: enw* **(cyfeillion)** e.e. *Mae gan Marc sawl **cyfaill** yn byw yn Sbaen.*

ffrind

partner *hwn* un yr ydych yn gwneud pethau ar y cyd ag ef neu hi e.e. *Oes angen **partner** arnat ti i ddawnsio?*
cymar *hwn* partner e.e. *Mae Gwyn yn **gymar** da i mi.*

cyfaill pawb cyfaill neb wrth geisio bod yn gyfaill i rai sydd yn anghytuno â'i gilydd, ni fydd y naill na'r llall eisiau bod yn gyfaill

Croesystyr: **gelyn**

a b c ch d dd e f ff g ng h i j l ll m n o p ph r rh s t th u w y

cyfarfod *berfenw* e.e. *Beth am i ni **gyfarfod** nos Sadwrn?*

cwrdd

ymgynnull dod ynghyd e.e. *Bydd y band yn **ymgynnull** yn y neuadd.*
casglu ynghyd e.e. *Mae'r plant yn **casglu ynghyd** yn y parc bob nos.*

taro ar rywun digwydd cyfarfod rhywun
dod wyneb yn wyneb â rhywun gweld rhywun yn agos

Croesystyr: **osgoi**

cyflym *ansoddair* e.e. *Rhedodd yn **gyflym** er mwyn ceisio dal y bws.*

chwim **sydyn**

brysiog ar frys e.e. *Edrych ar gamau **brysiog** y dryw bach.*
buan (yn y Gogledd) e.e. *Trên **buan** iawn yw hwn.*
clau:clou (yn y De) e.e. *Dewch yn **glou** neu bydd y bws wedi mynd!*
chwimwth e.e. *Mae Sam yn medru rhedeg yn fwy **chwimwth** na'i frawd.*
disymwth sydyn e.e. *Cododd ar ei draed yn **ddisymwth** a rhedeg i ffwrdd.*

ar hast gwneud rhywbeth yn sydyn
ar frys gweithredu'n gyflym

Croesystyr: **araf**

cyfoethog *ansoddair* e.e. *Gŵr **cyfoethog** sy'n byw yn y plas.*

ariannog

cefnog ag arian wrth gefn e.e. *Pobl **gefnog** sy'n byw yn y tŷ mawr.*

yn graig o arian rhywun cyfoethog

Croesystyr: **tlawd**

cyfrinachol *ansoddair* e.e. *Peidiwch â dweud wrth neb, mae'n fater **cyfrinachol**.*

dirgel

cudd:cuddiedig e.e. *Ble mae'r trysor **cudd** tybed?*

cyfrin e.e. *Rydw i'n gwybod y gair **cyfrin**.*
personol e.e. *Mater **personol** yw hwn.*

 Croesystyr: **cyhoeddus**

cyffredin *ansoddair* e.e. *Gwallt du sydd fwyaf **cyffredin** yn ein teulu ni.*

arferol

naturiol e.e. *Mae hwn yn syniad digon **naturiol** na fydd yn synnu neb.*
nodweddiadol e.e. *Ydy hyn yn rhywbeth **nodweddiadol** yng Nghymru?*
anniddorol e.e. *Mae hwn yn llyfr **anniddorol** iawn.*
bob dydd e.e. *Mae teithio mewn car yn ddigwyddiad **bob dydd** erbyn heddiw.*

 Croesystyr: **anghyffredin; anarferol**

cyffrous *ansoddair* e.e. *Mae hon yn stori antur **gyffrous** iawn.*

cynhyrfus

trydanol e.e. *Roedd yr awyrgylch yn y stadiwm yn **drydanol** cyn y gêm.*
gwefreiddiol e.e. *Roedd diwedd y ras yn agos a **gwefreiddiol**.*
anturus e.e. *Roedd y daith i ganol y jyngl yn un **anturus** iawn.*

Cymro *hwn: enw* Cymraes *hon: enw* **(Cymry)** e.e. *Rydw i'n falch mai **Cymro** ydw i.*

Enw:	*O Ble?*
Gog	Gair pobl de Cymru am rywun o ogledd Cymru
Hwntw	Gair pobl gogledd Cymru am rywun o dde Cymru
Cardi	Ceredigion
Cofi	Tref Caernarfon
Sioni	O un o gymoedd glofaol y De

 **gorau Cymro, Cymro oddi cartref** mae'n haws siarad a brolio Cymru o bell na gorfod byw yn y wlad a gwneud rhywbeth drosti

a b c ch d dd e f ff g ng h i j l ll m n o p ph r rh s t th u w y

Cymru *hon: enw* e.e. ***Cymru** yw'r wlad orau yn y byd.*

> ***Enwau eraill am Gymru:***
>
> **Gwalia**
> **Gwlad y Gân**
> **Gwlad y menig gwynion**

cymysgu *berfenw* e.e. *Pwy sydd wedi **cymysgu**'r holl bapurau yma?*

drysu | **cawlio**

cyfuno dod yn un e.e. *Rhaid **cyfuno** paent coch a gwyn i greu paent pinc.*
ffwndro e.e. *Rydw i'n dechrau **ffwndro** wedi'r holl waith caled.*

corddi llaeth cymysgu llaeth i greu menyn
corddi'r dyfroedd yn creu trafferthion

Edrychwch hefyd dan **plethu**

Croesystyr: **trefnu**

cynnig *berfenw* e.e. *Rydw i'n **cynnig** ein bod yn mynd allan i chwarae.*

awgrymu

ceisio e.e. *Wyt ti'n bwriadu **ceisio** am y swydd?*
ymgeisio cynnig fy hun e.e. *Rydw i'n bwriadu **ymgeisio** am y swydd.*

does gen i gynnig i'r dyn dydw i ddim yn hoffi'r dyn
rhoi cynnig ar ceisio; mentro
tri chynnig i Gymro hen ddywediad am lwc y Cymry

Edrychwch hefyd dan **ceisio**

Croesystyr: **gwrthod**

cynnwys *berfenw* e.e. *Mae'r bag yn **cynnwys** pob math o bethau.*

dal

darparu e.e. *Rydw i wedi **darparu** digon o fwyd i bawb.*

cysgodi *berfenw* **cysgodi rhag** e.e. *Mae'r hen goeden wedi* ***cysgodi*** *ochr y tŷ* ***rhag*** *y gwynt am flynyddoedd lawer.*

amddiffyn

tywyllu e.e. *Mae'r hen dderwen wedi tyfu mor fawr nes ei bod hi'n* ***tywyllu*** *ystafelloedd cefn y tŷ i gyd.*
ymochel e.e. *Mae'r defaid wedi casglu dan y clawdd i* ***ymochel*** *rhag yr eira.*
cadw rhag e.e. *Mae ymbarél yn ein* ***cadw rhag*** *y glaw.*

 ***Edrychwch hefyd dan*** **cuddio**

cystadleuaeth *hon: enw* **(cystadlaethau)** e.e. *Maen nhw wedi trefnu* ***cystadleuaeth*** *pêl-droed rhwng y tair ysgol.*

Gwahanol fathau o gystadlaethau:

camp *hon*	cystadleuaeth o unrhyw fath
eisteddfod *hon*	cystadleuwyr o fyd diwylliant a'r celfyddydau
etholiad *hwn*	cystadleuaeth i ennill y nifer uchaf o bleidleisiau
gêm *hon*	pêl-droed, gwyddbwyll ayyb
gornest *hon*	cystadleuaeth rhwng beirdd, paffwyr ayyb
mabolgampau *hyn*	chwaraeon o bob math
pencampwriaeth *hon*	gemau lle mae cynghrair
prawf *hwn*	unrhyw gemau lle mae chwaraewyr neu dimau yn cystadlu nes bod un yn fuddugol
ras *hon*	cystadleuaeth am y cyflymaf
rhagbrawf *hwn*	cystadleuaeth gychwynnol, cyn y brif gystadleuaeth
talwrn *hwn*	cystadleuaeth ar gyfer ceiliogod neu feirdd
ymryson *hwn*	cystadleuaeth ar gyfer beirdd neu unrhyw rai sy'n cystadlu i'r rownd derfynol

cysurus *ansoddair* e.e. *Dyma wely **cysurus**, braf.*

cyfforddus	esmwyth	clyd

braf e.e. *Mae'r esgidiau yma'n rhai **braf** dros ben.*
jocôs (yn y De) e.e. *Dyma'r gath yn gorwedd yn eithaf **jocôs** o flaen y tân.*

 Croesystyr: **anghysurus**

cytuno *berfenw* e.e. *Fe awn ni i Aberystwyth os yw pawb yn **cytuno**.*

cyd-fynd

cyd-weld e.e. *Rydw i'n **cyd-weld** yn llwyr â'r syniad i agor llwybr beic.*
cydsynio e.e. *Mae'n hawdd **cydsynio** â'r hyn sydd ganddo i'w ddweud.*
bodloni e.e. *Rydw i wedi **bodloni** aros ymlaen fel capten y tîm.*

 Croesystyr: **anghytuno**

cywir *ansoddair* e.e. *Ydy'r cyfeiriad ar yr amlen yn **gywir**?*

iawn

gwir e.e. *Mae'n **wir** i ddweud mai Nest yw'r ferch dalaf.*
union e.e. *Roedd y trên yn gadael am bedwar o'r gloch yn **union**.*
priodol e.e. *Gwnewch yn siŵr eich bod yn gwisgo'r dillad **priodol** cyn mentro i'r môr.*

 Croesystyr: **anghywir**

chwalu *berfenw*

1. ***torri'n ddarnau*** e.e. *Mae'r car wedi **chwalu**'r wal yn y ddamwain.*

distrywio | **malu**

malurio torri'n ddarnau mân e.e. *Mae'r môr yn **malurio** gwaelod y clogwyni.*
rhacso rhwygo (yn y De) e.e. *Mae'r gath fach wedi **rhacso** fy sanau.*
dryllio e.e. *Mae'r llong wedi **dryllio** ar y creigiau.*

2. ***mynd dros y lle*** e.e. *Mae dail yr hydref yn cael eu **chwalu** gan y gwynt.*

gwasgaru | **lledaenu**

chwalu niwl â ffon rhywbeth ffôl, dibwrpas, amhosibl

Croesystyr: **casglu; tynnu ynghyd**

chwarae *berfenw*

1. ***cael hwyl*** e.e. *Mae'r plant wrth eu bodd yn **chwarae**.*

rhedeg a rasio

prancio e.e. *Mae'r ŵyn bach yn **prancio** ar hyd y caeau.*

2. ***cymryd rhan*** e.e. *Sawl tîm sy'n **chwarae** eleni?*

cystadlu

chwarae â thân gwneud rhywbeth peryglus
chwarae'n troi'n chwerw am rywbeth sydd yn dechrau fel hwyl, ond sydd yn arwain at anghytuno a chweryla
chwarae teg! galwad i bobl gadw i'r rheolau, i beidio twyllo neu i weithredu mewn ffordd deg

Edrychwch dan **actio; perfformio**

chwedl *hon: enw* **(chwedlau)** e.e. *Wyt ti wedi clywed* ***chwedl*** *Branwen?*

stori	hanes

hanesyn *hon* hanes byr e.e. *Mae* ***hanesyn*** *am Twm Siôn Cati yn y gyfrol.*
dameg *hon* stori sy'n dysgu gwers e.e. *Mae sawl* ***dameg*** *yn y Beibl.*
myth *hon* stori chwedlonol e.e. *Mae Groeg yn enwog am ei* ***myth****au.*
ffantasi *hon* stori hollol ddychmygol e.e. ***Ffantasi*** *yw'r stori hon i gyd.*
sôn *hwn* neu *hon* stori ar lafar e.e. *Mae'r* ***sôn*** *am Gantre'r Gwaelod yn ddiddorol iawn.*

coel gwrach hen gred na ellir dibynnu arni
chwedl Mrs Jones fel y dywed Mrs Jones

Croesystyr: ffaith; gwirionedd

chwerw *ansoddair*

1. ***â blas siarp*** e.e. *Mae Mam-gu yn gwneud te llysiau* ***chwerw*** *ofnadwy.*

sur	**siarp** (wrth siarad)

egr e.e. *Mae blas* ***egr*** *ar eirin sydd heb aeddfedu.*

X **Croesystyr: melys**

2. ***teimlad anfodlon*** e.e. ***Chwerw*** *iawn oedd ymateb y cefnogwyr pan gollodd y tîm gêm olaf y tymor.*

cas

sbeitlyd e.e. *Mae cefnogwyr y tîm arall yn rhai* ***sbeitlyd*** *iawn.*
sarrug e.e. *Digon* ***sarrug*** *oedd y dyn wedi'r ddamwain.*

Croesystyr: hapus

chwifio *berfenw* e.e. *Mae'r dillad yn* ***chwifio*** *ar y lein ddillad.*

chwythu	ysgwyd

cyhwfan e.e. *Mae baneri yn* ***cyhwfan*** *ar fur y castell.*

codi llaw chwifio dwylo
ffarwelio dweud ffarwél

 ***Edrychwch hefyd dan*** **ysgwyd**

 Croesystyr: **aros yn llonydd**

chwilio *berfenw* **chwilio am** e.e. *Mae'n rhaid **chwilio** am y tocyn.*

chwilota	edrych

ceisio e.e. *Rydw i'n **ceisio** ateb i'r cwestiwn.*
pori e.e. *Rydw i'n hoffi **pori** trwy hen gylchgronau.*
cribo mynd trwy bethau â chrib mân e.e. *Rydw i wedi **cribo** drwy nifer o lyfrau i geisio'r hanes yn iawn.*

 **chwilio a chwalu** troi'r lle wyneb i waered wrth edrych am rywbeth

 ***Edrychwch hefyd dan*** **ceisio**

a b c ch d dd e f ff g ng h i j l ll m n o p ph r rh s t th u w y

D

da *ansoddair*

1. ***canmol person*** e.e. *Dyn* ***da*** *yw Mr Huws.*

caredig	cymwynasgar	rhagorol

clodwiw yn haeddu clod e.e. *Fe wnaeth y bobl ifanc waith* ***clodwiw*** *wrth beintio neuadd y pentref.*
anrhydeddus llawn anrhydedd e.e. *Mae meddygon yn ennill cyflog* ***anrhydeddus****.*

✗ Croesystyr: **drwg; gwael**

2. ***canmol ymddygiad*** e.e. *Plentyn* ***da*** *yw Siân.*

ufudd

cwrtais e.e. *Bachgen* ***cwrtais*** *yw Guto.*
moesgar e.e. *Peth* ***moesgar*** *yw gwerthfawrogi iaith a diwylliant pobl eraill.*

 Croesystyr: **drwg**

3. ***canmol gallu*** e.e. *Mae Alun yn chwaraewr rygbi* ***da****.*

dawnus	galluog	gwych	talentog

medrus e.e. *Un* ***medrus*** *iawn wrth drefnu blodau yw Meirion.*
deheuig e.e. *Un* ***deheuig*** *iawn am ganu'r piano yw Iolo.*

✗ Croesystyr: **gwael; diflas**

4. ***canmol y tywydd*** e.e. *Rydym yn cael tywydd* ***da*** *yn yr haf.*

braf	heulog	hyfryd	teg

hindda e.e. *Mae'n rhaid cael tywydd* ***hindda*** *cyn mynd i lan y môr.*

✗ Croesystyr: **drwg; gwael**

5. ***canmol profiad*** e.e. *Does dim yn well na chael gwyliau* ***da****.*

braf | **difyr** | **dymunol**

pleserus e.e. *Cefais amser* ***pleserus*** *iawn yn y sioe.*
anfarwol e.e. *Roedd mynd ar y trên sgrech yn brofiad* ***anfarwol****.*

wrth fy modd yn bleserus neu'n dda iawn

Croesystyr: **drwg; gwael; diflas**

6. ***rhywbeth sy'n gwneud lles*** e.e. *Mae gwneud ymarfer corff bob dydd yn arfer* ***da****.*

buddiol

llesol e.e. *Rydw i'n siŵr fod bwyta pysgod yn beth* ***llesol*** *iawn.*
manteisiol e.e. *Rydw i'n credu y byddai'n* ***fanteisiol*** *i ti brynu beic.*

da boch chi cyfarchiad wrth ymadael
os gwelwch yn dda plîs

Edrychwch hefyd dan **llesol**

Croesystyr: **drwg; gwael**

dadl *hon: enw* **(dadleuon)** e.e. *Mae* ***dadl*** *wedi codi rhwng aelodau'r tîm.*

cweryl | **ffrae**

ymryson *hwn* ceisio cael pawb i gredu'r un peth â chi e.e. *Aeth y sgwrs yn* ***ymryson*** *rhwng Elwyn a Megan.*
anghydfod *hwn* ffrae e.e. *Roedd sôn am yr* ***anghydfod*** *rhwng y ddau wedi cyrraedd y papur newydd.*
anghytundeb *hwn* methu cytuno e.e. *Roedd* ***anghytundeb*** *ymhlith y dosbarth ynglŷn â ble i fynd ar y trip ysgol eleni.*

does dim dadl mae'r peth yn hollol glir

Croesystyr: **cytundeb**

a b c ch **d** dd e f ff g ng h i j l ll m n o p ph r rh s t th u w y

dadlau *berfenw* e.e. *Dydw i ddim yn hoffi* ***dadlau*** *gyda'm ffrindiau.*

anghytuno	ffraeo

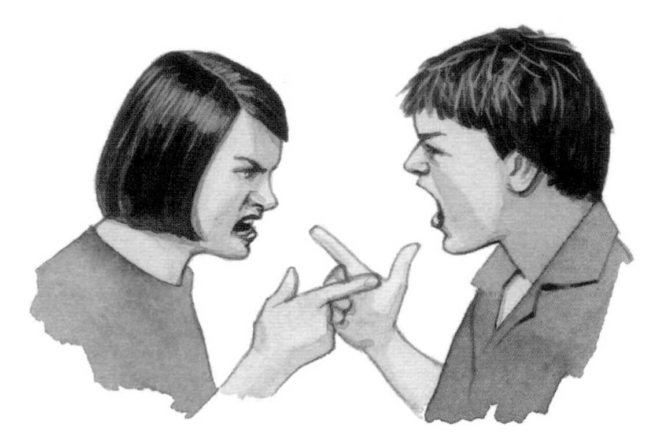

ymresymu dangos y rhesymau dros neu yn erbyn e.e. *Roedd yr athrawes yn ceisio* ***ymresymu*** *â'r dosbarth ynglŷn â gwisgo gwisg ysgol.*
taeru dadlau'n gryf e.e. *Roedd Ifan yn* ***taeru*** *mai ef oedd yn iawn.*

 **asgwrn i grafu** dechrau dadl

 ***Edrychwch hefyd dan*** **trafod**

 Croesystyr: **cytuno**

damweiniol *ansoddair* **yn ddamweiniol** e.e. *Roedd Gwen wedi ffonio'r heddlu'n* ***ddamweiniol.***

anfwriadol

ar hap e.e. *Mae Leisa wedi cyfarfod â'i ffrindiau* ***ar hap*** *yn y ffair.*
ar siawns e.e. *Daeth Mr Patel o hyd i'r llun* ***ar siawns.***
trwy lwc e.e. ***Trwy lwc*** *y daeth yr heddwas o hyd i allweddi'r tŷ.*

 Croesystyr: **bwriadol**

danfon *berfenw* **danfon at** berson; **danfon i** rywle e.e. *Mae'n rhaid* ***danfon*** *y lleidr i'r carchar am 6 mis.*

gyrru

hebrwng e.e. *Oes angen* ***hebrwng*** *Non i'r gwaith?*
hel e.e. (yn y Gogledd) *Cafodd John ei* ***hel*** *o'r ysgol.*

dangos *berfenw* e.e. *Wnei di **ddangos** i mi sut i wneud hynny eto?*

Ffyrdd o ddangos pethau:

arddangos	lluniau
arwain	y ffordd
darlledu	ar y teledu neu'r radio
darlunio	mewn llun neu luniau
datgelu	dangos rhywbeth cudd
datguddio	dangos rhywbeth cudd
dweud	yr amser
egluro, esbonio	sut mae rhywbeth yn gweithio
llofnodi	eich enw
nodi	er mwyn cofio
perfformio	gerbron cynulleidfa
pwyntio	gyda'ch bys
sillafu	pa lythrennau
teipio	trwy ddefnyddio bysellfwrdd
ymddangos	eich hun
ysgrifennu	eich enw

 **dangos ochr** dangos pwy neu beth mae person yn ei gefnogi

 ***Edrychwch hefyd dan*** **pwyntio**

 **Croesystyr: cuddio**

darganfod *berfenw* e.e. *Wyt ti wedi **darganfod** beth yw'r ateb eto?*

gweld	sylweddoli

ffeindio e.e. *Rydw i wedi **ffeindio**'r ffôn o'r diwedd!*
dod o hyd i e.e. *Mae'r môr-leidr wedi **dod o hyd i**'r trysor.*
dod ar draws e.e. *Mae'r plant wedi **dod ar draws** ci bach du a gwyn.*
taro ar e.e. *Rydw i wedi **taro ar** ffordd i godi arian i'r ysbyty.*
sylwi e.e. *Mae Dad wedi **sylwi** fod twll yn ei hosan.*
deall e.e. *O'r diwedd, rydw i wedi **deall** sut i ddefnyddio'r peiriant.*

 **Croesystyr: colli**

a b c ch d dd e f ff g ng h i j l ll m n o p ph r rh s t th u w y

darlun *hwn: enw* **(darluniau)**

Gwahanol fathau o ddarluniau:

amlinelliad *hwn*	siâp allanol rhywbeth
braslun *hwn*	cyffredinol heb fanylion
cerflun *hwn*	wedi'i gerfio
delw *hon*	cerflun sy'n cael ei addoli
delwedd *hon*	yn y meddwl neu wedi'i gerfio
diagram *hwn*	o gynllun
ffotograff *hwn*	gan gamera
golygfa *hon*	o'r hyn a welwch o'ch blaen
llun *hwn*	yn gyffredinol
map *hwn*	cynllun gwastad o'r tir a'r môr
paentiad *hwn*	wedi'i baentio
pictiwr *hwn*	gair (wrth siarad) am ddarlun
portread *hwn*	o berson neu le mewn llun neu eiriau

darn *hwn: enw* **(darnau)**

Gwahanol fathau o ddarnau:

briwsionyn *hwn*	darn bach o fara
celficyn *hwn*	o gelfi
cetyn *hwn*	o amser
dernyn *hwn*	darn bach
detholiad *hwn*	o eiriau
diferyn *hwn*	mymryn bach o ddŵr
dilledyn *hwn*	o ddillad
dodrefnyn *hwn*	o ddodrefn
gwerin *hon*	darn gwyddbwyll
mymryn *hwn*	darn bach lleiaf
pisyn *hwn*	o arian/o jigso
pwt *hwn*	o sgwrs neu gân
rhan *hon*	o rywbeth mwy
sglodyn *hwn*	darn bach o ddeunydd
siâr *hon*	rhywbeth wedi'i rannu
sleisen *hon*	o deisen/o gig (wrth siarad)
tafell *hon*	o fara
talp *hwn*	o lo/peth caled
tamaid *hwn*	o fwyd

Croesystyr: y cyfan

dathlu *berfenw* e.e. *Roedd pawb yn **dathlu** wedi ennill y gêm.*

llawenhau

coffáu cofio am e.e. *Byddwn yn **coffáu** pen-blwydd Iesu Grist ar ddydd Nadolig.*

✗ Croesystyr: **diystyru**

deall *berfenw* e.e. *Dydw i ddim yn **deall** beth sy'n bod ar y ferch.*

gwybod

gweld e.e. *Wyt ti'n medru **gweld** beth yw'r broblem?*
gwerthfawrogi e.e. *Rydw i'n medru **gwerthfawrogi**'r syniad tu ôl i'r cynllun.*
gwneud synnwyr o e.e. *Ydych chi'n gallu **gwneud synnwyr o**'r hyn sydd wedi digwydd?*

Croesystyr: **methu deall**

dechrau *berfenw* e.e. *Pryd mae'r daith yn **dechrau**?*

cychwyn

agor e.e. *Pwy sydd yn mynd gyntaf ac yn **agor** y gystadleuaeth?*
cynnau e.e. *Mae Rhys yn medru **cynnau** tân drwy rwbio dau ddarn o bren yn erbyn ei gilydd.*
tanio yn achos peiriant e.e. *Dydw i ddim yn medru **tanio**'r injan.*
sefydlu e.e. *Mae rhywun wedi **sefydlu** busnes newydd yn y dref.*
tarddu rhywbeth sy'n llifo e.e. *Ar ben y mynydd mae'r afon yn **tarddu**.*

ar y dechrau'n deg ar y cychwyn cyntaf

Croesystyr: **gorffen**

defnyddio *berfenw* e.e. *Wyt ti'n gallu **defnyddio**'r cyfrifiadur newydd?*

trafod | **gweithio** | **trin**

iwsio (wrth siarad) e.e. *Wyt ti wedi **iwsio** paent coch yma o'r blaen?*
manteisio ar e.e. *Hoffwn **fanteisio ar** y cyfle hwn i fynd i'r gwely'n gynnar.*

defnyddiol *ansoddair* e.e. *Teclyn* ***defnyddiol*** *iawn yw camera digidol.*

buddiol | **gwerthfawr**

ymarferol e.e. *Mae codi arian at yr achos yn syniad* ***ymarferol****.*
effeithiol e.e. *Mae ffens yn ddull* ***effeithiol*** *o gadw'r defaid yn y cae.*

gwerth chweil o werth

Croesystyr: **di-fudd; diwerth**

denu *berfenw* e.e. *Mae llawer o bobl wedi cael eu* ***denu*** *i weld y ffilm newydd.*

tynnu

swyno e.e. *Mae sŵn y gerddoriaeth yn* ***swyno*** *pawb.*
dal sylw e.e. *Mae'r arddangosfa tân gwyllt yn* ***dal sylw****'r dorf.*
hudo denu trwy hud e.e. *Roedd lliwiau'r losin yn* ***hudo****'r plant bach.*
dwyn e.e. *Mae Nia'n cael ei* ***dwyn*** *i mewn i'r siop gan arogl y bara ffres.*
temtio e.e. *Cafodd Gwern ei* ***demtio*** *i brynu siocled yn y siop.*

Edrychwch hefyd dan **perswadio; twyllo**

derbyn *berfenw* e.e. *Rydw i'n* ***derbyn*** *£100 yr wythnos mewn cyflog.*

cael | **ennill**

cymryd e.e. *Pwy sy'n* ***cymryd*** *yr arian am y tocynnau?*
cydnabod e.e. *Mae'r clwb yn* ***cydnabod*** *Delyth fel aelod llawn o'r tîm.*
croesawu e.e. *Pwy sy'n* ***croesawu****'r gwesteion wrth y drws i'r parti?*
mabwysiadu e.e. *Mae Eirian wedi* ***mabwysiadu*** *syniadau William i gyd.*
cytuno e.e. *Rydw i'n* ***cytuno*** *fy mod i'n hwyr i'r ymarfer.*
cyfaddef e.e. *Rydw i'n* ***cyfaddef*** *fy mod i'n hwyr i'r ymarfer.*
credu e.e. *Rydw i'n* ***credu*** *mai Mam sydd yn iawn fel arfer.*
coelio e.e. *Wyt ti'n medru* ***coelio*** *beth maen nhw'n ei ddweud?*

Edrychwch hefyd dan **ennill**

Croesystyr: **gwrthod**

dewin *hwn: enw* **(dewiniaid)** e.e. *Myrddin yw enw* ***dewin*** *enwocaf Cymru.*

Enwau eraill i ddisgrifio dewiniaid:

consuriwr *hwn* un sy'n medru gwneud triciau
cyfareddwr *hwn* un sy'n medru cyfareddu
derwydd *hwn* un sy'n perthyn i hen grefydd paganaidd
swynwr *hwn* un sy'n defnyddio swynion

dewin byd y bêl pêl-droediwr neu chwaraewr rygbi medrus iawn
dewin dŵr un sy'n medru darganfod dŵr tanddaearol

Edrychwch hefyd dan **gwrach**

dewis *berfenw* e.e. *Pwy fyddet ti'n* ***dewis*** *i chwarae yn y gôl?*

dethol	ethol	pigo	dymuno
	enwi	penodi	

penderfynu e.e. *Rydw i wedi* ***penderfynu*** *aros gartref heddiw.*
gwirfoddoli e.e. *Rydw i wedi* ***gwirfoddoli*** *gweithio yn y siop heddiw.*

dewis a dethol penderfynu beth sydd orau neu'n well

Croesystyr: **gwrthod**

dewr *ansoddair* e.e. *Roeddwn i'n meddwl bod dringo'r goeden er mwyn achub y gath yn beth* ***dewr*** *iawn i'w wneud.*

arwrol	beiddgar	glew	mentrus

gwrol e.e. *Roedd Amir yn ddigon* ***gwrol*** *i dynnu dau ddant.*
eofn e.e. *Mentrodd y ferch yn* ***eofn*** *i'r dŵr dwfn.*
di-ofn e.e. *Ymladdwr* ***di-ofn*** *yw Geraint yn y cylch bocsio.*

Edrychwch hefyd dan **mentrus**

Croesystyr: **llwfr**

dianc *berfenw* **dianc o** rywle; **dianc rhag** rhywbeth e.e. *Mae'r carcharor wedi* ***dianc****.*

ffoi | **diflannu**

rhedeg i ffwrdd e.e. *Mae Erin wedi* ***rhedeg i ffwrdd*** *o gartref.*
dod yn rhydd e.e. *Llwyddodd y consuriwr i* ***ddod yn rhydd*** *o'r cadwynau.*

Geiriau am 'ddianc' *(wrth siarad)***:**

cymryd y goes e.e. *Mae'r lleidr wedi* ***cymryd y goes****.*
diengyd e.e. *Mae'r lleidr wedi* ***diengyd****.*
ei bachu hi o 'ma e.e. *Mae'r lleidr wedi* ***ei bachu hi o 'ma****.*
ei gloywi hi e.e. *Mae'r lleidr wedi* ***ei gloywi hi****.*
ei gwadnu hi e.e. *Mae'r lleidr wedi* ***ei gwadnu hi****.*
ei heglu hi e.e. *Mae'r lleidr wedi* ***ei heglu hi****.*
ei gwanu hi e.e. *Mae'r lleidr wedi* ***ei gwanu hi****.*

 ***Edrychwch hefyd dan*** **cilio; diflannu**

 Croesystyr: **aros; sefyll**

diddanu *berfenw* e.e. *Mae'r band yn hoffi* ***diddanu****'r gynulleidfa gyda'u cerddoriaeth.*

diddori | **difyrru**

 Croesystyr: **diflasu**

diddorol *ansoddair* e.e. *Dyma lyfr* ***diddorol*** *iawn am y Celtiaid.*

difyr

apelgar e.e. *Mae hon yn stori* ***apelgar*** *iawn sydd ar fin cael ei throi'n ffilm.*
bachog e.e. *Mae sylwadau Jamil bob amser yn rhai* ***bachog****.*
gafaelgar e.e. ***Gafaelgar*** *iawn oedd yr hanes am daith dyn i'r lleuad.*

yn dal sylw yn ddiddorol iawn
yn chwip o (yn y Gogledd) wrth ddisgrifio rhywbeth arbennig iawn

 Croesystyr: **anniddorol; diflas**

dieithr *ansoddair* e.e. *Mae rhywun* ***dieithr*** *yn cerdded o flaen y tŷ.*

estron	od	rhyfedd

anarferol e.e. *Mae rhywbeth* ***anarferol*** *iawn wedi digwydd heddiw.*
anghyffredin e.e. *Allai neb egluro ymddygiad* ***anghyffredin*** *y dyn.*
gwahanol e.e. *Dyma syniad* ***gwahanol*** *am sut i goginio mafon.*
anghyfarwydd e.e. *Mae Hania yn enw* ***anghyfarwydd*** *yng Nghymru.*

Croesystyr: **cyfarwydd; adnabyddus**

difetha *berfenw* e.e. *Mae'r holl eisin ar ben y deisen wedi* ***difetha****'r cynllun i gyd.*

cawlio	drysu	dinistrio

difa e.e. *Mae pla o lygod wedi* ***difa****'r ŷd ar draws y wlad.*
sbwylio (wrth siarad) e.e. *Cafodd y deisen ei* ***sbwylio*** *trwy ei gadael yn y ffwrn yn rhy hir.*

gwneud smonach creu llanast go iawn
gwneud stomp gwneud annibendod

Croesystyr: **creu; codi**

diflannu *berfenw*

1. ***mynd o'r golwg*** e.e. *Mae Leia wedi* ***diflannu*** *i rywle.*

mynd

2. ***mynd i ffwrdd/mynd o'r golwg*** e.e. *Mae'r eira wedi* ***diflannu*** *yn yr haul.*

dadlaith	dadmer	meirioli	toddi

darfod e.e. *Mae'r glaw wedi* ***darfod*** *ac mae'r haul yn tywynnu eto.*

diflannu fel iâr i ddodwy mynd yn dawel heb i neb sylwi

Edrychwch hefyd dan **dianc**

Croesystyr: **ymddangos**

a b c ch d dd e f ff g ng h i j l ll m n o p ph r rh s t th u w y

a
b
c
ch
d
dd
e
f
ff
g
ng
h
i
j
l
ll
m
n
o
p
ph
r
rh
s
t
th
u
w
y

difrifol *ansoddair* e.e. *Mae rhywbeth* ***difrifol*** *gan yr heddlu i'w ddweud.*

pwysig **ofnadwy**

arwyddocaol e.e. *Roedd y ddamwain awyren yn ddigwyddiad* ***arwyddocaol****.*
dwys e.e. *Mae hwn yn fater* ***dwys*** *iawn fydd yn effeithio ar bawb.*
enbyd e.e. *Mae Jên mewn cyflwr* ***enbyd*** *yn dilyn y tân yn ei chartref.*
dybryd e.e. *Mae hwn yn gamgymeriad* ***dybryd*** *ar ran y gôl-geidwad.*
peryglus e.e. *Mae cyflwr y to yn mynd yn fwy* ***peryglus*** *wrth yr awr.*

 Croesystyr: **dibwys**

digio *berfenw* e.e. *Mae Gwilym wedi* ***digio*** *ei chwaer drwy guddio ei ffôn.*

gwylltio

cynddeiriogi e.e. *Cofia beidio* ***cynddeiriogi****'r cymdogion!*
cythruddo e.e. *Mae'n hawdd* ***cythruddo*** *rhieni drwy ateb yn ôl.*
pechu e.e. *Mae Osian wedi* ***pechu*** *Mrs Ling drwy fwyta'r bisgedi i gyd.*
pwdu e.e. *Mae Dewi wedi* ***pwdu*** *wrth Gwen am fwyta'r afal olaf.*
sorri e.e. *Mae hi wedi* ***sorri*** *wrthyf i am wrthod mynd i'r ffair nos Sadwrn.*

Rhai ymadroddion i gyfleu 'digio' a geir wrth siarad yn bennaf:

colli ei limpyn e.e. *Mae Llŷr yn* ***colli ei limpyn****.*
dal dig e.e. *Mae Llŷr yn* ***dal dig****.*
gweld yn chwith e.e. *Mae Llŷr wedi* ***gweld yn chwith****.*
gwylltio'n gacwn e.e. *Mae Llŷr wedi* ***gwylltio'n gacwn****.*
mynd i natur e.e. *Mae Llŷr wedi* ***mynd i natur****.*
mynd o'i gof/chof e.e. *Mae Llŷr wedi* ***mynd o'i gof****.*
mynd yn gandryll e.e. *Mae Llŷr wedi* ***mynd yn gandryll****.*
mynd yn grac e.e. *Mae Llŷr wedi* ***mynd yn grac****.*

 Croesystyr: **bodloni**

digrif *ansoddair* e.e. *Mae Mr Davies yn berson* ***digrif*** *iawn sy'n hoff o jôc.*

doniol **direidus** **ffraeth**

comig e.e. *Pwy oedd y dyn bach* ***comig*** *a alwodd heibio i'r tŷ y bore 'ma?*
smala e.e. *Hogyn* ***smala*** *yw Dei.*

joclyd e.e. *Mae ef ychydig yn rhy **joclyd** i mi y peth cyntaf yn y bore.*
llawn hwyl e.e. *Roedd y pantomeim yn **llawn hwyl**.*

 ***Edrychwch hefyd dan*** **rhyfedd; ysgafn**

 Croesystyr: **difrifol**

diodddef *berfenw* e.e. *Rydw i wedi gorfod **dioddef** yr holl feirniadaeth yma heb fedru ateb yn ôl.*

derbyn

goddef e.e. *Mae'n gas gen i orfod **goddef** yr holl sŵn yma.*

 **mynd yn sâl** (yn y Gogledd) dechrau dioddef salwch
mynd yn dost (yn y De) dechrau dioddef o salwch

 ***Edrychwch hefyd dan*** **gwaethygu; gwywo**

 Croesystyr: **mwynhau**

diog *ansoddair* e.e. *Rhai **diog** iawn yw Rhodri a Mared.*

pwdr

digychwyn e.e. *Un **digychwyn** wrth ei waith yw Iolo.*

 Croesystyr: **prysur; gweithgar**

diogel *ansoddair* e.e. *Ydy'r ateb hwn yn un **diogel**?*

sicr

saff (wrth siarad) e.e. *Mae hwn yn dŷ **saff** iawn.*

 **yn fyw ac yn iach** yn hollol ddiogel

 ***Edrychwch hefyd dan*** **cyfrinachol; sicr**

 Croesystyr: **peryglus**

disgleirio *berfenw* e.e. *Mae'r haul yn **disgleirio** ar y môr.*

tywynnu	sgleinio

serennu e.e. *Mae llygaid Alys yn **serennu**'n llawn drygioni.*
pelydru e.e. *Mae'r haul yn **pelydru** drwy'r cymylau.*
llewyrchu e.e. *Gyda'r haul yn **llewyrchu** yn eu llygaid roedd hi'n anodd gweld yn glir.*

Croesystyr: **tywyllu**

disgyn *berfenw* e.e. *Mae'r llyfr wedi **disgyn** yn glep ar y llawr.*

cwympo	syrthio	glanio	llithro

gostwng e.e. *Rydw i'n gobeithio y bydd pris y tegan wedi **gostwng**.*
hongian e.e. *Roedd ei wallt hir yn **hongian** dros ei ysgwyddau.*
suddo e.e. *Mae fy nghalon wedi **suddo** i'r llawr oherwydd y siom.*

disgyn ar fy nhraed bod yn ffodus

Croesystyr: **dringo**

distawrwydd *ansoddair* e.e. *Mae Nain yn hoffi **distawrwydd** ei gardd.*

heddwch

llonyddwch e.e. *Mae'n rhaid cael **llonyddwch** cyn mynd i gysgu.*
tawelwch e.e. *Rydw i'n mwynhau'r **tawelwch** ar lan y llyn.*

Croesystyr: **sŵn**

diwedd *hwn: enw* e.e. *Ble mae **diwedd** ein taith heddiw?*

pen

terfyn *hwn* e.e. *Wyt ti wedi cyrraedd **terfyn** y llwybr eto?*
ffin *hon* e.e. *Dyma **ffin** y cae wrth ymyl yr afon.*
cynffon *hwn* e.e. *Dyma ni wedi cyrraedd **cynffon** y rhes.*
pen draw *hwn* e.e. *Byddwn wedi cyrraedd **pen draw**'r anialwch cyn nos.*
diweddglo *hwn* e.e. ***Diweddglo** hapus sydd i'r ffilm.*

cwt *hwn* (yn y De) e.e. *Ai hwn yw* ***cwt*** *y ciw?*
clo *hwn* e.e. *Mae* ***clo*** *da i'r stori hon.*

diwedd y gân yw'r geiniog y cwestiwn olaf yw, oes digon o arian i gael i dalu amdano?
o'r diwedd wedi hir ddisgwyl

Croesystyr: **dechrau; cychwyn**

diwrnod

hwn: enw **(diwrnodau)** e.e. *Dydd Sadwrn yw* ***diwrnod*** *gorau'r wythnos.*

dydd

Ffyrdd gwahanol o sôn am ddiwrnodau:

echdoe y diwrnod cyn ddoe
ddoe y diwrnod cyn heddiw
heddiw y diwrnod hwn
yfory y diwrnod ar ôl heddiw
trannoeth y diwrnod nesaf ar ôl unrhyw ddiwrnod
trennydd diwrnod ar ôl yfory
tradwy dau ddiwrnod ar ôl yfory

diwrnod i'r brenin diwrnod o wyliau

Edrychwch hefyd dan **dydd**

doeth

ansoddair e.e. *Gyda'r tywydd fel y mae, syniad* ***doeth*** *yw mynd ag ymbarél gyda chi.*

call | **craff** | **da**

deallus yn deall e.e. *Roedd yn fachgen* ***deallus*** *ac yn llawn syniadau da.*
synhwyrol yn gwneud synnwyr e.e. *Dyna awgrym* ***synhwyrol*** *iawn!*
dysgedig wedi dysgu llawer e.e. *Mae Gwilym yn ŵr* ***dysgedig*** *sy'n hoff iawn o ddarllen.*

Edrychwch hefyd dan **craff**

Croesystyr: **ffôl; twp**

a
b
c
ch
d
dd
e
f
ff
g
ng
h
i
j
l
ll
m
n
o
p
ph
r
rh
s
t
th
u
w
y

dringo *berfenw* e.e. *Wyt ti'n hoffi **dringo** yn Eryri?*

mynydda

codi e.e. *Mae'r heol yn **codi** o'r pentref i ben y mynydd.*
esgyn e.e. *Gadawodd pawb y fferm am ddeuddeg o'r gloch gan **esgyn** yn hamddenol i ben y mynydd.*
mynd i fyny (yn y Gogledd wrth siarad) e.e. *Mae tipyn o waith **mynd i fyny** Cader Idris.*
mynd lan (yn y De wrth siarad) e.e. *Mae'n rhaid **mynd lan** y grisiau'n ofalus.*

Croesystyr: **disgyn; syrthio**

drwg *ansoddair*

1. ***wrth ddisgrifio cyflwr*** e.e. *Mae'r afal wedi cleisio a mynd yn **ddrwg**.*

pwdr

gwarthus e.e. *Roedd ymddygiad y dorf tuag at y chwaraewyr yn **warthus**.*
drygionus e.e. *Un bach **drygionus** yw mab ieuengaf Dilys a Rhodri.*
di-wardd e.e. *Mae eisiau gwneud rhywbeth am y bachgen **di-wardd** yna.*

Croesystyr: **da**

2. ***wrth ddisgrifio'r tywydd*** e.e. *Mae'r tywydd yn rhy **ddrwg** i ni fedru mynd i'r ysgol heddiw.*

garw	ofnadwy	gwael	cas	brwnt

Croesystyr: **da; braf**

3. ***fel yn 'mae'n ddrwg i chi'*** e.e. *Mae bwyta sglodion i ginio bob dydd yn beth **drwg**.*

afiach	peryglus

niweidiol e.e. *Mae rhedeg ar heolydd concrit yn gallu bod yn **niweidiol** i'ch pennau gliniau.*
sâl e.e. *Rydw i'n teimlo'n **sâl** yn awr ar ôl bwyta gormod o sothach.*

mae'n ddrwg gen i ymddiheuriad

Edrychwch hefyd dan **arbennig; gwael; pwdr**

Croesystyr: **da**

dweud *berfenw* e.e. *Mae Mrs Samuel yn **dweud** dy fod yn gwneud yn dda iawn yn yr ysgol.*

sôn

mynegi e.e. *Mae Abigail yn **mynegi** ei neges yn glir ac yn gryno.*
datgan e.e. *Mae'n sefyll ar ei draed a **datgan** ei farn o flaen pawb.*
ynganu e.e. *Mae'n rhaid i ni ymarfer **ynganu** rhai geiriau Ffrangeg cyn mynd ar ein gwyliau.*
lleisio e.e. *Mae'n rhaid **lleisio** dy farn yn glir wrth areithio.*
cyhoeddi dweud yn gyhoeddus (wrth siarad neu mewn print) e.e. *Mae'r pennaeth wedi **cyhoeddi** ei fod yn bwriadu ymddeol.*
dangos e.e. *Mae bysedd y cloc yn **dangos** ei bod hi'n bump o'r gloch.*

Gwahanol ffyrdd o ddangos pwy sy'n dweud rhywbeth:

meddai e.e. *'Doedd e' ddim yn agos i'r lle,' **meddai** Jacob.*
ebe e.e. *'Eisteddwch fan hyn am eiliad,' **ebe** John.*

Gwahanol ffyrdd o ddweud rhywbeth:

adrodd	dweud rhywbeth o flaen grŵp neu gynulleidfa
ateb	rhoi ymateb i gwestiwn
awgrymu	dweud neu gynnig syniad
beirniadu	dweud barn am rywbeth
bygwth	dweud y gallai rhywbeth annymunol ddigwydd
clochdar	dweud rhywbeth fel ceiliog
cwyno	dweud nad yw rhywbeth yn ddigon da
cyfarch	dweud wrth gyfarfod â rhywun
cyflwyno	dweud am rywun neu rywbeth newydd neu ddieithr
cyhuddo	dweud fod rhywun wedi gwneud drwg
cytuno	dweud yr un peth â rhywun arall neu gyd-fynd
datgelu	dweud cyfrinach
dyfalu	dweud neu gynnig rhywbeth heb wybod a yw'n gywir
ebychu	dweud yn fyr ac yn sydyn neu gan ochneidio
egluro	dweud sut mae rhywbeth yn gweithio
gofyn	holi cwestiwn i rywun
gweiddi	dweud rhywbeth yn uchel
gwichian	dweud rhywbeth gyda llais main fel llygoden
holi	gofyn cwestiwn i rywun
mynnu	dweud yn sicr fod rhywbeth yn gywir
rhuo	dweud rhywbeth fel llew
siarad	dweud rhywbeth neu gynnal sgwrs â rhywun
sibrwd	dweud rhywbeth yn dawel
sylwi	dweud beth sydd i'w weld
trydar	dweud rhywbeth fel aderyn
wfftio	dweud fod rhywbeth yn ddi-werth
ychwanegu	dweud rhywbeth pellach

torri gair dechrau siarad
dweud a dweud dweud dro ar ôl tro
dweud y drefn ceryddu, rhybuddio

***Edrychwch hefyd dan* adrodd; sgwrsio**

Croesystyr: **tewi; distewi**

dŵr *hwn: enw* **(dyfroedd)** e.e. *Beth am fynd i nofio yn y **dŵr**?*

llyn	môr	pwll	afon	nant	ffrwd

diferyn *hwn* darn lleiaf o ddŵr e.e. *Mae **diferyn** ar y ffenest.*
dafn *hwn* e.e. *Mae **dafn** glaw wedi disgyn ar fy mhen.*
defnyn *hwn* e.e. *Mae **defnyn** wedi disgyn ar fy mhen.*

Mannau eraill sy'n cynnwys dŵr:

afonig *hon* afon fach
camlas *hon* afon wedi'i hadeiladu gan ddyn
cefnfor *hwn* y môr mawr
cronfa *hon* llyn wedi'i adeiladu gan ddyn
ffynnon *hon* twll sy'n cael ei agor er mwyn cael dŵr o'r ddaear
llifogydd *hyn* dŵr sy'n gorlifo
pistyll *hwn* yn debyg i ffynnon
rhaeadr *hon* dŵr sy'n disgyn o uchder
sgwd *hwn* gair arall am 'rhaeadr'

dŵr dan y bont rhywbeth sydd wedi mynd heibio ac na ddaw yn ôl
fel dŵr ar gefn hwyaden am rywbeth nad yw'n cael unrhyw effaith o gwbl

dwyn *berfenw* e.e. *Mae rhywun wedi **dwyn** pêl Gari.*

lladrata	cymryd	cipio

bachu gair llai ffurfiol e.e. *Roedd y ddau ohonyn nhw wedi **bachu** pum punt allan o'r til pan nad oedd neb yn edrych.*
bwrglera torri mewn i adeilad i ladrata e.e. *Glywsoch chi pwy sydd wedi bod yn **bwrglera**?*
potsian hela anifail yn anghyfreithlon e.e. *Rhaid peidio **potsian** ar dir y plas.*

a ddwg wy a ddwg mwy os yw rhywun yn barod i ddwyn rhywbeth bach, bydd hefyd yn barod i ddwyn rhywbeth llawer yn fwy

dydd *hwn: enw* **(dyddiau)**

Dyddiau arbennig:

dydd Calan	Ionawr 1af
dydd Santes Dwynwen	Ionawr 25ain (Nawddsant cariadon)
dydd San Ffolant	Chwefror 14eg
dydd Gŵyl Dewi	Mawrth 1af (Nawddsant Cymru)
dydd Gŵyl Padrig	Mawrth 17eg (Nawddsant Iwerddon)
dydd Ffŵl Ebrill	Ebrill 1af
dydd Gŵyl San Sior	Ebrill 23ain (Nawddsant Lloegr)
dydd Calan Mai	Mai 1af
dydd Gŵyl Ifan	Mehefin 24ain (Canol Haf)
dydd Calan Gaeaf	Tachwedd 1af
dydd Gŵyl Andras	Tachwedd 30ain (Nawddsant yr Alban)
dydd Nadolig	Rhagfyr 25ain
dydd San Steffan	Rhagfyr 26ain
dydd Sul y Pys	Diwrnod na ddaw byth

cario'r dydd ennill cystadleuaeth neu gamp
yn fy nydd pan oeddwn ar fy ngorau

Edrychwch hefyd dan **diwrnod**

Croesystyr: nos

dymuno *berfenw* e.e. *Beth wyt ti'n* ***dymuno*** *ei gael i swper?*

dewis	**hoffi**

eisiau e.e. *Wyt ti* ***eisiau*** *cael pizza i ginio?*
dyheu am e.e. *Mae Aled yn* ***dyheu am*** *gael mynd i lan y môr i nofio.*

bod yn dda gan yn hoffi neu'n dymuno

dyn *hwn: enw* **(dynion)**

a b c ch d dd e f ff g ng h i j l ll m n o p ph r rh s t th u w y

a
b
c
ch
d
dd
e
f
ff
g
ng
h
i
j
l
ll
m
n
o
p
ph
r
rh
s
t
th
u
w
y

dynes *hon: enw* **(menyw)**

Enwau gwahanol am ddyn:	*Enwau gwahanol am ddynes:*
bachgen	merch
brawd	chwaer
cefnder	cyfnither
ewythr	modryb
gwas	morwyn
gŵr	gwraig
llysdad	llysfam
mab	merch
nai	nith
tad	mam
tad-cu	mam-gu
tad-yng-nghyfraith	mam-yng-nghyfraith
taid	nain

dyrys *ansoddair* e.e. *Mae'n rhaid i mi gael help i ateb cwestiynau **dyrys**.*

anodd | **astrus** | **cymhleth**

dryslyd e.e. *Gêm gyfrifiadurol **ddryslyd** iawn yw hon.*
aneglur heb fod yn glir e.e. *Mae'r sefyllfa yn eithaf **aneglur**.*

fel perfedd moch blith draphlith

dysgu *berfenw* e.e. *Rydw i wedi **dysgu** sut mae'r peiriant DVD yn gweithio.*

cael gwybod | **darganfod** | **deall** | **gweld**

hyfforddi e.e. *Rydw i'n ceisio **hyfforddi**'r ci i eistedd yn llonydd.*
cofio e.e. *Roedd Mam-gu wedi **cofio** englyn am y gaeaf.*
meistroli e.e. *Wyt ti wedi **meistroli**'r ffordd i ddefnyddio dy ffôn newydd eto?*

dysgu pader i berson am rywun sy'n meddwl ei fod yn deall rhywbeth ac yn ceisio egluro'r peth i rywun sydd yn arbenigo yn y maes

Croesystyr: anghofio

eang *ansoddair* e.e. *Mae'r parc chwarae yn un **eang** iawn.*

mawr	llydan

helaeth e.e. *Roedd ganddo wybodaeth **helaeth** am fandiau roc enwog.*
agored e.e. *Roedd tir **agored** o'u cwmpas i bob cyfeiriad.*
diderfyn e.e. *Mae anialwch y Sahara yn **ddiderfyn**.*

 Croesystyr: **cyfyng**

edmygu *berfenw* e.e. *Mae pawb yn **edmygu** campau tîm Cymru.*

canmol	hoffi	moli	mwynhau

clodfori rhoi clod i e.e. *Rydw i'n **clodfori** dy ymdrechion i dyfu tatws.*
parchu e.e. *Rydw i'n **parchu**'r ffordd y mae wedi dysgu siarad Eidaleg.*
rhyfeddu at e.e. *Rydw i'n **rhyfeddu at** ei ddawn i dynnu lluniau.*
ymfalchïo yn e.e. *Rydym i gyd yn **ymfalchïo yn** llwyddiant Tristan.*

 **talu gwrogaeth i** cydnabod rhywun yn feistr

 Croesystyr: **dirmygu**

edrych *berfenw* **edrych ar** rywun neu rywbeth e.e. *Wyt ti eisiau **edrych ar** y teledu?*

cael cip ar	gwylio

syllu edrych yn hir e.e. *Roedd y plentyn yn **syllu** i'r tân.*
craffu edrych yn fanwl e.e. *Mae'n rhaid **craffu** ar y ddau lun er mwyn ceisio gweld beth sy'n wahanol rhyngddyn nhw.*
llygadu e.e. *Rydw i wedi bod yn **llygadu**'r fodrwy yna yn ffenest y siop.*
rhythu e.e. *Mae Gwilym yn **rhythu**'n gas ar Non.*
disgwyl (yn y De) e.e. *Rydw i'n **disgwyl** ymlaen at gael hufen iâ.*
sbio (yn y Gogledd) e.e. *Pam wyt ti'n **sbio** drwy'r ffenest?*
arsylwi astudio e.e. *Mae gwyddonwyr wedi anfon sbienddrych i'r gofod er mwyn **arsylwi**'r sêr.*

edrych i fyw llygaid rhywun edrych yn heriol ar rywun
edrych ar ôl rhywun neu rywbeth gofalu amdanyn nhw
bwrw golwg edrych dros rywbeth

 Croesystyr: **anwybyddu; cau llygaid**

a
b
c
ch
d
dd
e
f
ff
g
ng
h
i
j
l
ll
m
n
o
p
ph
r
rh
s
t
th
u
w
y

egluro *berfenw* e.e. *Bydd angen* ***egluro*** *beth yw'r bwydydd dieithr yma.*

esbonio	dangos	disgrifio

dehongli gwneud synnwyr o rywbeth e.e. *Mae'n anodd* ***dehongli****'r gerdd hon o'r ddegfed ganrif.*
datrys e.e. *Mae pawb wedi* ***datrys*** *y dirgelwch o'r diwedd.*

 Croesystyr: **cymhlethu**

eiddigeddus *ansoddair* **eiddigeddus o** e.e. *Roedd Dafydd yn* ***eiddigeddus*** *iawn o'r enillydd.*

cenfigennus

gwenwynllyd e.e. *Merch* ***wenwynllyd*** *a sbeitlyd yw Eleri o hyd.*

eisiau *hwn: enw* e.e. *Oes* ***eisiau*** *gwisgo cot cyn mynd allan?*

rhaid	angen

prinder *hwn* e.e. *Mae* ***prinder*** *bwyd yn broblem mewn rhai mannau yn Affrica.*
diffyg *hwn* e.e. *Mae* ***diffyg*** *glaw yn achosi i'r blodau wywo.*
tlodi *hwn* e.e. *Mae llawer iawn o bobl y byd yn byw mewn* ***tlodi.***
caledi *hwn* e.e. *Mae'r sychder hir wedi achosi* ***caledi*** *yn y wlad i gyd.*
gofyn *hwn* e.e. *Mae* ***gofyn*** *parhaus am ddŵr glân i'w yfed.*
hiraeth am *hwn* e.e. *Mae* ***hiraeth am*** *ei mam ar Cara.*

ennill *berfenw* e.e. *Pwy sydd wedi* ***ennill*** *y wobr gyntaf yn y gystadleuaeth?*

cipio

curo e.e. *O drwch blewyn yn unig y llwyddodd y Sgarlets i* ***guro****'r Gweilch.*
trechu e.e. *Mae tîm rygbi Cymru wedi* ***trechu*** *Lloegr eto.*
gorchfygu e.e. *Mae'n rhaid* ***gorchfygu****'r tîm arall i gael y wobr.*
maeddu e.e. *Bydd y merched yn* ***maeddu****'r bechgyn ddydd Sadwrn.*
elwa e.e. *Efallai y byddwn ni'n* ***elwa*** *o gyrraedd yn gynnar.*
goresgyn e.e. *Bu raid iddo ymladd yn galed cyn* ***goresgyn*** *y gelyn.*
bod yn fuddugol e.e. *Mae* ***bod yn fuddugol*** *yn y ras yn bwysig i Mari.*
cario'r dydd e.e. *Ein tîm ni sydd wedi* ***cario'r dydd****.*
mynd â hi e.e. *Mae Siriol yn* ***mynd â hi*** *bob tro.*

Enghreifftiau o ennill pethau penodol:

cadeirio	ennill cadair
coroni	ennill coron
gwobrwyo	ennill gwobr
anrhydeddu	ennill anrhydedd

ennill pwysau trymhau neu fynd yn dewach
bod ar fy ennill elwa

Edrychwch hefyd dan **derbyn**

Croesystyr: **colli**

enwog *ansoddair* e.e. *Pwy yw'r person mwyaf* ***enwog*** *yn hanes Cymru?*

adnabyddus	amlwg	arbennig	nodedig

chwedlonol e.e. *Y Brenin Arthur yw un o arwyr* ***chwedlonol*** *y Cymry.*

Edrychwch hefyd dan **pwysig**

Croesystyr: **anenwog**

ergyd *hwn* neu *hon: enw* **(ergydion)**

1. ***siom*** e.e. *Roedd y newyddion drwg yn* ***ergyd*** *i bawb.*

sioc

syndod *hwn* e.e. ***Syndod*** *oedd clywed fod yr heddlu wedi arestio Wil.*

2. ***wrth fwrw neu daro rhywbeth*** e.e. *Rhoddodd* ***ergyd*** *i'r bêl dros y trawst.*

Ergydion i'r corff:

bonclust *hwn*	ergyd i'r glust
cernod *hon*	ergyd i'r foch
cic *hon*	ergyd gan droed
cledren *hon*	ergyd gan gledr y llaw
clusten *hon*	ergyd i'r glust
cnoc *hwn*	ergyd i unrhyw ran o'r corff
dyrnod *hwn*	ergyd gan ddwrn
peniad *hwn*	ergyd gan y pen

o fewn ergyd carreg heb fod yn bell, neu, pa mor bell y mae'n bosibl taflu carreg.

esgeulus

ansoddair e.e. *Mae'r gwaith cartref hwn yn llawn gwallau* ***esgeulus****.*

blêr

diofal heb ofalu e.e. *Gyrru* ***diofal*** *oedd yn gyfrifol am y ddamwain.*
difeddwl e.e. *Gwaith* ***difeddwl*** *ac anniben yw hwn.*
di-hid ddim yn poeni e.e. *Gwaith digon* ***di-hid*** *yw hwn o ran safon.*
didoreth (yn y De) *Un* ***didoreth*** *yw Dewi sy'n anghofio rhywbeth o hyd.*

Edrychwch hefyd dan **llac**

Croesystyr: **gofalus**

esmwyth

ansoddair e.e. *Esgidiau* ***esmwyth*** *iawn yw'r rhain.*

cysurus **cyfforddus**

llyfn e.e. *Mae croen* ***llyfn*** *ar wyneb Dad ar ôl siafo.*
gwastad e.e. *Mae llwybr* ***gwastad*** *braf i gopa'r mynydd.*
rhwydd e.e. *Roedd yr heol yn dawel a'r daith adref yn* ***rhwydd****.*
didrafferth e.e. *Roedd y daith yn yr awyren yn hollol* ***ddidrafferth****.*

Edrychwch hefyd dan **llyfn**

Croesystyr: **garw; anesmwyth**

euog

ansoddair **yn euog** e.e. *Rydw i'n teimlo'n* ***euog*** *nad ydw i wedi ffonio adref eto.*

cywilydd

ar fai e.e. *Pwy sydd* ***ar fai*** *am dorri'r ffenestr?*
yn gyfrifol e.e. *Mair oedd* ***yn gyfrifol*** *am yr holl annibendod.*
yn edifar e.e. *Mae Marc yn teimlo'****n edifar*** *am dorri'r ffenestr.*

yr euog a ffy heb ei erlid y mae person euog yn ffoi heb fod neb yn ei gyhuddo

Croesystyr: **dieuog**

ficer *hwn: enw* **(ficeriaid)**

Enghreifftiau o bobl grefyddol eraill:

y Pab *hwn*	Pennaeth Eglwys Rufain
archesgob *hwn*	Pennaeth Eglwys Loegr a'r Eglwys yng Nghymru
esgob *hwn*	yn gyfrifol am eglwys gadeiriol
rheithor *hwn*	yn gyfrifol am eglwys
offeiriad *hwn*	yn gyfrifol am eglwys Babyddol
abad *hwn*	yn gyfrifol am abaty neu fynachlog
abades *hon*	yn gyfrifol am leiandy
mynach *hwn*	yn perthyn i fynachlog
lleian *hon*	yn perthyn i leiandy
rabbi *hwn*	yn gyfrifol am synagog
imam	yn gyfrifol am fosg

Ff

ffin *hon: enw* **(ffiniau)** e.e. *Paid â chroesi'r* ***ffin*** *neu fe fyddi di allan o'r gêm.*

ymyl	llinell	ochr

terfyn *hwn* pen eithaf e.e. *Mae'r clawdd* ***terfyn*** *yn dangos ble mae tir y fferm yn gorffen a thir agored y mynydd yn dechrau.*
pen draw *hwn* e.e. *Mae* ***pen draw*** *i amynedd pawb.*

Y Gororau y tir sydd bob ochr i'r ffin rhwng Lloegr a Chymru.

ffit *ansoddair* e.e. *Rydw i'n teimlo'n* ***ffit*** *iawn ar ôl yr holl ymarfer corff.*

iach	heini	cryf

holliach e.e. *Ar ôl wythnos yn sgïo yn y Swistir teimlai Mair yn* ***holliach****.*
addas e.e. *Nid yw bwyd y caffi yma yn* ***addas*** *i gi!*
priodol e.e. *Nid yw'r esgidiau yna'n* ***briodol*** *ar gyfer chwarae tennis.*

fflachio *berfenw* e.e. *Roedd y goleudy i'w weld yn* ***fflachio*** *ar y gorwel.*

goleuo	disgleirio	sgleinio

pefrio e.e. *Roedd ei llygaid yn* ***pefrio*** *wrth agor yr anrheg.*
melltennu e.e. *Mae'r tywydd yn taranu a* ***melltennu****.*
pelydru e.e. *Mae'r haul yn* ***pelydru*** *trwy'r cymylau.*
llosgi e.e. *Roedd coelcerthi ar y bryniau i'w gweld yn* ***llosgi*** *yn y nos.*
tanio e.e. *Edrych ar y tân gwyllt yn* ***tanio****!*
gwreichioni e.e. *Mae'r tân yn* ***gwreichioni*** *yn yr awel.*

Edrychwch hefyd dan **tanio; disgleirio**

X Croesystyr: **pylu; tywyllu**

ffodus *ansoddair* e.e. *Rydw i'n ddigon* ***ffodus*** *i gael cynrychioli'r ysgol.*

lwcus

ffortunus e.e. *Roedd Marged yn* ***ffortunus*** *i gael mynd ar ei gwyliau i Baris.*

trwy drugaredd yn ffodus
ar hap a damwain yn ddamweiniol a thrwy siawns
wrth lwc yn ffodus

Croesystyr: **anlwcus; anffodus**

ffôl *ansoddair* e.e. *Syniad **ffôl** yw bwyta jeli â fforc!*

gwirion | **dwl** | **hurt**

annoeth e.e. ***Annoeth** iawn yw sefyll arholiad heb baratoi.*
disynnwyr e.e. *Peth **disynnwyr** yw mynd i'r ysgol heb got yn y gaeaf.*
twp e.e. *Dyna beth **twp** oedd gadael y botel yn dy fag heb dop arni.*
ynfyd e.e. *Fe fyddi di'n **ynfyd** i fynd i'r traeth heddiw yn y glaw.*

dim yn ffôl dim yn ddrwg

Croesystyr: **doeth; call**

ffordd *hon: enw* **(ffyrdd)**

1. ***ffordd o wneud rhywbeth*** e.e. *Allwch chi ddangos y **ffordd** i mi daflu'r bluen bysgota i ganol y llyn?*

dull

modd *hwn* e.e. *Mae'n rhaid defnyddio unrhyw **fodd** posibl er mwyn ennill.*

2. ***fel yn 'y ffordd fawr'*** e.e. *Mae llawer o geir wedi parcio ar y **ffordd** fawr.*

heol | **lôn**

gosod rhywun ar ben ffordd sicrhau bod rhywun ar y ffordd gywir i gyflawni ei nod

Edrychwch hefyd dan **heol**

ffraeo *berfenw* e.e. *Mae'r ddau deulu yn **ffraeo** â'i gilydd bob dydd.*

cweryla | **anghytuno** | **dadlau**

cecru neu **cecran** sef ychydig llai difrifol na 'cweryla' e.e. *Mae Moli a Maia'n **cecru** o hyd.*

a b c ch d dd e f ff g ng h i j l ll m n o p ph r rh s t th u w y

cwympo mas (yn y De) cweryla e.e. *Pam maen nhw'n **cwympo mas** o hyd?*
anghydweld anghytuno e.e. *Mae'r ddau frawd yn **anghydweld** â'i gilydd.*
ymrafael e.e. *Mae'r ddau deulu'n **ymrafael** â'i gilydd yn gyson.*

rhaid cael dau i ffraeo pan fydd dau (neu ragor) yn ffraeo anaml y gellir rhoi'r bai ar un ohonynt yn unig

Edrychwch hefyd dan **ymladd**

Croesystyr: **cymodi**

ffraeth *ansoddair* e.e. *Un **ffraeth** iawn yw Hywel sy'n dda am adrodd stori.*

doniol	**digrif**

huawdl yn medru siarad yn rhugl e.e. *Roedd y dyn yn siaradwr **huawdl**.*
ysmala (yn y Gogledd) e.e. *Gwraig **ysmala** ei hatebion yw Mrs Jones.*
pert e.e. *Mae gan Dad-cu ymadrodd **pert** ar gyfer pob achlysur.*
cellweirus tynnu coes e.e. *Bachgen bach **cellweirus** yw Gwion.*
parod e.e. *Mae ganddo ateb **parod** i bob cwestiwn.*
clyfar gair anffurfiol e.e. *Mae Isaac yn ceisio bod yn **glyfar** heddiw eto!*

ffres *ansoddair* e.e. *Does dim yn well na gwydraid o ddŵr **ffres**.*

pur

croyw e.e. *Dŵr **croyw** sy'n rhedeg o nant y mynydd.*
crai rhywbeth sydd heb ei buro e.e. *Mae'n rhaid defnyddio deunydd **crai** i greu llun.*
newydd e.e. *Mae Jessica wedi meddwl am ffordd **newydd** i godi arian.*
gwahanol e.e. *Mae hwn yn syniad **gwahanol** a chyffrous.*
arall e.e. *Mae'n rhaid i ni feddwl am ffordd **arall** i ddenu ymwelwyr.*
byw e.e. *Mae'r digwyddiad yn **fyw** yn fy nghof.*

Rhai pethau ffres:

awyr iach
cof byw
croen glandeg
deilen ir
dŵr croyw

glas fyfyriwr
newydd sbon
sannau glân
sebon newydd

Edrychwch hefyd dan **ifanc**

Croesystyr: **sur; hen**

ffug *ansoddair* e.e. *Mae'r papur degpunt yma yn* ***ffug****.*

anghywir

dychmygol e.e. *Stori hollol* ***ddychmygol*** *i dwyllo pawb yw hon.*
celwyddog e.e. *Mae'r stori amdano'n helpu'r gath yn* ***gelwyddog****.*
camarweiniol e.e. *Roedd yr hyn a ddywedodd yn hollol* ***gamarweiniol****.*
anwiredd *hwn* e.e. ***Anwiredd*** *yw'r stori am y wrach.*

Rhai pethau ffug:

arian drwg
breuddwyd gwrach
cam gwag
coeg falchder
cyhuddo ar gam
cynnig dros ysgwydd
dannedd gosod:dannedd dodi
esgus annwyd
ffug basio
gwên deg
gwybodaeth anghywir
llw celwyddog
proffwyd gau
stori gelwydd golau

 Croesystyr: **gwir**

ffurfio *berfenw* e.e. *Pwy sydd wedi* ***ffurfio****'r patrwm hwn?*

creu	dyfeisio	gwneud	cerfio	naddu

llunio e.e. *Roedden nhw wrthi'n* ***llunio*** *cefndir addas i ddrama'r ysgol.*
bathu e.e. *Mae'r geiriadurwr wedi* ***bathu*** *nifer o eiriau newydd.*
sefydlu e.e. *Rydw i'n bwriadu* ***sefydlu*** *clwb pêl-rwyd yn y pentref.*
tyfu e.e. *Edrychwch ar y blagur yn* ***tyfu*** *ar flaenau'r brigau.*
cyfansoddi e.e. *Mae angen i bawb* ***gyfansoddi*** *alaw erbyn dydd Llun.*

 ***Edrychwch hefyd dan*** **gwneud**

 Croesystyr: **chwalu; difrodi**

ffwdan *hon: enw* e.e. *Mae rhyw* ***ffwdan*** *o hyd wrth geisio dal y defaid.*

helynt	trafferth

trwbl *hwn* e.e. *Doedd dim angen i chi fynd i'r fath* ***drwbl****!*
helbul *hwn* e.e. *Bu tipyn o* ***helbul*** *rhwng dau o'r plant yn y dosbarth heddiw.*

ffŷs *hon* e.e. *Mae Mam yn llawn* ***ffŷs*** *am fy ngwallt blêr.*
stŵr *hwn* e.e. *Roedd tipyn o* ***stŵr*** *yn y dref heddiw wedi'r lladrad.*

Edrychwch hefyd dan **helynt**

ffydd *hon: enw* e.e. *Mae pobl o bob* ***ffydd*** *yn dod i'r cyfarfod.*

crefydd

cred *hon* e.e. *Nid yw* ***cred*** *Rebecca mewn ysbrydion yn gryf iawn.*
ymddiriedaeth *hon* e.e. *Mae fy* ***ymddiriedaeth*** *yn Rhys wedi diflannu.*
argyhoeddiad *hwn* e.e. *Ciciodd y bêl i'r gôl yn llawn* ***argyhoeddiad****.*
hyder *hwn* e.e. *Does gan Sam fawr o* ***hyder*** *wrth berfformio.*

Enghreifftiau o wahanol ffydd:

Bwdhaeth yw ffydd **Bwdhyddion** yn **Bwdha**
Cristnogaeth yw ffydd **Cristnogion** yn **Iesu Grist** a **Duw**
Hindŵaeth yw ffydd yr **Hindwiaid** yn **Brahman** (Duw)
Iddewiaeth yw ffydd yr **Iddewon** yn **Yahweh** (Duw)
Islam yw ffydd **Mwslimiaid** yn **Mohamed** ac **Allah** (Duw)

Edrychwch hefyd dan **credu**

ffyrnig *ansoddair* e.e. *Mae'r ci* ***ffyrnig*** *wedi ymosod ar y plentyn.*

gwyllt	**cas**	**cynddeiriog**	**chwyrn**	**creulon**

mileinig cas ofnadwy e.e. *Cafodd nifer eu lladd yn yr ymosodiad* ***mileinig****.*
brwnt e.e. *Mae llawer o daclo* ***brwnt*** *wedi bod yn y gêm hon.*
ciaidd e.e. *Mae criw o lanciau wedi ymosod yn* ***giaidd*** *ar Ahmed.*

Croesystyr: caredig

G

gadael *berfenw*

1. ***symud i ffwrdd*** e.e. *Pryd wyt ti'n **gadael** heno?*

mynd

cefnu ar e.e. *Pam mae pawb wedi **cefnu ar** y clwb hoci?*
hepgor e.e. *Mae angen **hepgor** y gair hwn o'r frawddeg er mwyn ei gwella.*
ffarwelio â mynd i ffwrdd e.e. *Roedd hiraeth arno wrth **ffarwelio â**'i deulu cyn mynd i Ffrainc.*

canu'n iach gadael neu ffarwelio
ymfudo o rywle mynd i fyw i wlad arall
ymddiswyddo o rywbeth gadael gwaith
ymddeol gadael gwaith ar ddiwedd cyfnod

Croesystyr: **dod; cyrraedd**

2. ***cael/rhoi yr hawl i rywun*** e.e. *Mae'r pennaeth wedi **gadael** i ni ddod adre'n gynnar o'r ysgol heddiw.*

caniatáu

cydsynio e.e. *Mae Dad wedi **cydsynio** i ni fynd i'r parti.*
goddef e.e. *Nid yw Mam-gu'n gallu **goddef** cathod yn agos ati.*

gadael i fod peidio gwneud dim â rhywbeth neu rywun
gadael y gath o'r cwd peidio cadw rhywbeth yn gyfrinach

Croesystyr: **gwrthod**

galw *berfenw* **galw ar** neu **galw am**

1. ***dweud wrth*** e.e. *Pwy sy'n **galw** arna i nawr?*

gweiddi **bloeddio**

llefain e.e. *Mae'r babi bach yn **llefain** am ei fam.*
gwahodd e.e. *Dyma Anti Meri'n **gwahodd** Dad i mewn am baned.*
ffonio e.e. *Wyt ti wedi **ffonio** dy rieni eto?*

2. ***mynd i weld*** e.e. *Pwy sy'n **galw ar** Nain yn yr ysbyty heddiw?*

ymweld â

taro mewn e.e. *Byddaf yn **taro mewn** ar y ffordd adre o'r ysgol.*
pigo mewn e.e. *Pryd fyddi di'n **pigo mewn** i ddweud helô?*

galw enwau ar gwawdio, gwneud sbort am ben
yn ôl y galw fel sydd ei angen

***Edrychwch hefyd dan* gweiddi**

gallu *berfenw* e.e. *Wyt ti'n **gallu** dod i chwarae yfory?*

medru

gwybod sut i e.e. *Wyt ti'n **gwybod sut i** glymu tei?*
cael e.e. *Ydw i'n **cael** mynd i'r sinema heno?*

Croesystyr: methu

galluog *ansoddair* e.e. *Athro **galluog** iawn yw Mr Mohammed.*

dawnus | **talentog**

medrus e.e. *Mae Marc yn chwaraewr tennis **medrus** iawn.*
deheuig e.e. *Mae Ifan yn chwaraewr pêl-droed **deheuig** a chyflym.*
peniog e.e. *Un **peniog** yw Arfon sy'n gwybod yr atebion i gyd.*
abl e.e. *Mae Rana'n gitarydd **abl** iawn.*

Croesystyr: analluog

garw *ansoddair*

1. ***er mwyn disgrifio golwg rhywbeth*** e.e. *Mae'n rhaid cerdded ar hyd llwybr **garw** iawn i gyrraedd copa'r mynydd.*

creigiog | **caregog** | **anwastad** | **caled**

tyllog e.e. *Llwybr **tyllog** iawn sy'n arwain i'r maes parcio.*
twmpathog e.e. *Cae **twmpathog** yw'r cae pêl-droed.*
crychiog e.e. *Mae wyneb **crychiog** gan yr hen ŵr.*
rhychiog e.e. *Edrychwch ar y caeau **rhychiog** ar ben y bryn.*

Croesystyr: llyfn; esmwyth

2. ***er mwyn disgrifio pobl*** e.e. *Criw digon **garw** sy'n byw drws nesaf.*

cas

cwrs e.e. *Paid ti â dod â'r hen iaith **gwrs** 'na mewn i'r tŷ hwn.*
anfoesgar e.e. *Criw digon **anfoesgar** a ddaeth i'r parti.*
crintachlyd e.e. *Un **crintachlyd** sydd bob amser yn cwyno yw Harri.*

 Croesystyr: **teg; caredig**

3. ***er mwyn disgrifio'r tywydd*** e.e. *Mae'n gas gen i dywydd **garw**.*

stormus **gwyntog**

gerwin e.e. *Rydw i wedi cael llond bol ar dywydd **gerwin** y gaeaf.*
tymhestlog e.e. *Môr **tymhestlog** sydd wedi achosi i'r llong suddo.*

 Croesystyr: **teg**

 **torri'r garw** rhywbeth y mae pobl ddieithr yn ei wneud wrth ddechrau dod i adnabod ei gilydd

gêm *hon: enw* e.e. *Does dim yn well na gwylio **gêm** dda o rygbi ar y teledu.*

Rhai o hen gemau'r Cymry:

bando	tebyg iawn i hoci ond gyda thîm o 30 o chwaraewyr
bwmbwr	ceisio dal eraill tra bod mwgwd am y llygaid
ceffylau bach	reidio ar gefn person arall
cerrig bach	taflu 5 o gerrig bach i'r awyr a cheisio eu dal ar gefn y llaw
sbei	rhedeg a chuddio

geni *berfenw* e.e. *Mae'r fuwch wedi **geni** llo bach yn y cae.*

esgor ar

 Croesystyr: **marw; trigo**

glân *ansoddair* e.e. *Mae ffenestri'r tŷ yn rhai* ***glân*** *iawn.*

gloyw | **clir**

pur e.e. *Mae'n bwysig yfed dŵr* ***pur****.*
croyw e.e. *Dŵr* ***croyw*** *o botel sydd orau gan Anti Non.*

methu'n lân â gwneud rhywbeth methu'n llwyr
fy machgen glân i fy machgen annwyl
glân gloyw yn ffres ac yn ddisglair

Croesystyr: **budr; brwnt**

glanhau *berfenw* e.e. *Mae'n rhaid* ***glanhau****'r tŷ i gyd heddiw.*

clirio | **golchi** | **puro** | **sgrwbio** | **sgubo**

carthu e.e. *Gwaith brwnt yw* ***carthu*** *stablau'r ceffylau.*
sgwrio e.e. *Mae'n rhaid* ***sgwrio****'r llawr yn galed er mwyn ei gael yn lân.*
brwsio e.e. *Mae'n bwysig* ***brwsio*** *dy ddannedd bob dydd.*
hwfro e.e. *Gofala dy fod yn* ***hwfro****'r briwsion dan y cadeiriau i gyd.*

Croesystyr: **difwyno; dwyno**

gloyw *ansoddair* e.e. *Dŵr* ***gloyw*** *sy'n llifo yn y nant.*

clir | **disglair** | **glân**

croyw e.e. *Beth sy'n well i'w yfed na dŵr* ***croyw****?*
llachar e.e. *Edrychwch ar liw coch* ***llachar*** *ewinedd ei thraed.*
claerwyn e.e. *Mae'r llestri yma'n* ***glaerwyn****.*
ariannaidd e.e. *Mae gan frithyll fola* ***ariannaidd****.*

glân gloyw yn ffres ac yn ddisglair

Croesystyr: **afloyw**

glynu *berfenw* **glynu wrth** e.e *Mae'r baw yn* ***glynu*** *wrth fy esgidiau.*

cydio

gludo e.e. *Wyt ti'n medru* ***gludo****'r ddau ddarn o bapur yma at ei gilydd?*
sticio (wrth siarad) e.e. *Gyda beth wyt ti'n* ***sticio****'r lluniau ar y drws?*
pastio e.e. *Mae poster yn hysbysebu'r ffilm wedi ei* ***bastio*** *ar y wal.*

glynu fel gelen mae gelen yn greadur bach sy'n medru glynu wrth groen person a sugno'r gwaed

Croesystyr: **gollwng**

gobeithio *berfenw* e.e. *Rydw i'n **gobeithio** y bydd pawb yn gallu dod.*

disgwyl	dymuno

hyderu mwy hyderus na gobeithio e.e. *Rydw i'n **hyderu** y bydd y ffilm yn un dda.*
ysu e.e. *Mae'n **ysu** cael bod yn aelod o'r tîm sy'n chwarae ddydd Sadwrn.*
byw mewn gobaith e.e. *Mae Taid yn **byw mewn gobaith** y bydd yn ennill y Loteri ryw ddydd.*

gobeithio yn erbyn gobaith dal i obeithio hyd yn oed pan fydd pethau'n anobeithiol

Croesystyr: **anobeithio; digalonni**

gofalu *berfenw* **gofalu am** e.e. *Mae'n rhaid **gofalu** peidio bwyta gormod i de.*

gwylio

gwarchod e.e. *Pwy sy'n **gwarchod** y plant i chi nos Sadwrn?*
diogelu e.e. *Mae'n bwysig **diogelu** nythod adar gwyllt.*
nyrsio e.e. *Mae Mam a Dad wedi penderfynu **nyrsio** Dad-cu gartref.*
tendio e.e. *Mae'r nyrs yn **tendio**'r cleifion yn yr ysbyty.*
cymryd gofal e.e. *Mae'n rhaid **cymryd gofal** rhag beiciau wrth groesi'r heol.*

Croesystyr: **esgeuluso**

gofalus *ansoddair* e.e. *Mae'n rhaid gwrando'n **ofalus** ar y stori.*

astud

gwyliadwrus e.e. *Byddwch yn **wyliadwrus** wrth groesi'r heol fawr brysur.*
carcus (yn y De) e.e. *Byddwch yn **garcus** wrth sglefrolio ar y palmant.*
pwyllog e.e. *Mae Mari'n gwneud ei gwaith cartref yn **bwyllog** er mwyn ateb pob cwestiwn yn gywir.*

gan bwyll (bach) yn araf a phwyllog

Croesystyr: **mentrus; esgeulus**

a
b
c
ch
d
dd
e
f
ff
g
ng
h
i
j
l
ll
m
n
o
p
ph
r
rh
s
t
th
u
w
y

gofidio *berfenw* e.e. *Mae rhywbeth yn **gofidio** Jamila o hyd.*

blino | **poeni** | **pryderu**

becso (yn y De) e.e. *Paid â **becso**, fe fydd popeth yn iawn.*
malio e.e. *Nid yw'n **malio** dim am neb ond ef ei hun.*
hidio e.e. *Nid yw Siôn yn **hidio**'r un daten beth sy'n digwydd i neb arall.*

gofyn *berfenw* **gofyn i** neu **gofyn am** e.e. *Mae Rhys wedi **gofyn am** frechdan arall.*

holi

gwahodd e.e. *Pwy mae dy chwaer wedi **gwahodd** i'r parti?*
crefu e.e. *Mae Dewi'n **crefu** am gael mynd i nofio yn y môr.*
apelio e.e. *Mae arweinydd y côr yn **apelio** am dawelwch cyn dechrau.*
hawlio e.e. *Mae'n **hawlio** hanner yr arian am wneud hanner y gwaith.*

gofyn bendith gweddi i ddiolch am y bwyd yr ydych yn mynd i'w fwyta

Edrychwch hefyd dan **ceisio**

Croesystyr: ateb

golau *hwn: enw* e.e. *Beth yw'r **golau** yna allan yn y môr?*

fflach | **goleuni**

llewyrch *hwn* e.e. *Mae **llewyrch** yr haul yn fy llygaid i.*

rhwng dau olau y cyfnod ar ôl i'r haul fachlud ond cyn iddi dywyllu

Edrychwch hefyd dan **lamp**

Croesystyr: tywyllwch

gollwng *berfenw* e.e. *Pwy sydd wedi **gollwng** y bochdew o'r caets?*

rhyddhau

hepgor *e.e. Mae Lewis wedi ei **hepgor** o'r tîm am ei fod yn chwarae'n wael.*

gollwng y gath o'r cwd datgelu cyfrinach
llacio gafael neu **gadael fynd** wrth sôn am ollwng llaw ac ati
gadael allan wrth sôn am anghofio neu ollwng rhywun neu rywbeth

Croesystyr: **gafael; cydio**

gonest *ansoddair* e.e. *Un **gonest** yw Rafi sy'n dweud y gwir bob amser.*

da	**diffuant**

teg e.e. *Cefais bris **teg** am y beic ail-law.*
didwyll e.e. *Cefais ymddiheuriad **didwyll** gan Lara.*

a dweud y gwir yn onest i fod yn berffaith onest

Croesystyr: **anonest; twyllodrus**

gorau *ansoddair* e.e. *Pwy yw'r **gorau** yn y gystadleuaeth?*

cyntaf	**pennaf**

mwyaf e.e. *Dyma'r wobr **fwyaf** i mi ei hennill erioed.*
buddugol e.e. *Sam oedd y **buddugol** yn y ras nofio ddoe.*
hyfrytaf e.e. *Dyma'r traeth **hyfrytaf** a welais erioed.*
blaenaf e.e. *Ar hyn o bryd y car coch a gwyn yw'r **blaenaf**.*

di-ail:heb ei ail y peth neu'r person gorau

Croesystyr: **gwaethaf**

gorfodi *berfenw* e.e. *Mae'n rhaid **gorfodi**'r gath allan o'r gegin.*

gyrru	**gwthio**

gwneud e.e. *Does neb yn mynd i **wneud** i ti fynd i dorri dy wallt.*
pwyso ar e.e. *Roedd y gwerthwr yn trio **pwyso ar** Liam i brynu'r car.*
mynnu bod e.e. *Roedd y lladron banc wedi **mynnu bod** pawb yn gorwedd ar y llawr.*

Croesystyr: **gwirfoddoli; dewis**

gorffen *berfenw* e.e. *Wyt ti wedi **gorffen** dy waith cartref eto?*

diweddu

cwblhau e.e. *Byddaf yn **cwblhau**'r gwaith ymhen y mis.*
dirwyn i ben e.e. *Bydd y ffilm yn **dirwyn i ben** cyn bo hir.*
dibennu e.e. *Rydw i'n disgwyl **dibennu**'r gwaith heno.*
cwpla (yn y De) e.e. *Pryd wyt ti'n disgwyl **cwpla** peintio'r wal?*

mynd â'r maen i'r wal llwyddo i orffen

Edrychwch hefyd dan **pallu**

Croesystyr: **cychwyn; dechrau**

gorffwys *berfenw* e.e. *Mae'n rhaid **gorffwys** ar ôl gweithio'n galed.*

eistedd	gorwedd

dadflino e.e. *Mae'n braf cael gorwedd i lawr am dipyn er mwyn **dadflino** ar ôl dod adref o'r ysgol.*
cymryd hoe e.e. *Mae'n rhaid **cymryd hoe** am ryw bum munud ar ôl rhedeg ras drawsgwlad.*
bwrw blinder e.e. *Roedd pawb yn edrych ymlaen at gael **bwrw blinder** wedi'r daith hir.*
cael sbel e.e. *Mae'n rhaid **cael sbel** cyn ailgydio yn y gwaith.*

gorffwys ar y rhwyfau rhoi'r gorau i weithio, dim yn gwneud dim

Croesystyr: **gweithio**

gosod *berfenw* e.e. *Mae Morgan yn **gosod** DVDs yn ofalus ar y silff.*

dodi	pentyrru	rhoi	trefnu

codi e.e. *Mae Harri wedi **codi** pabell yn yr ardd.*
lleoli e.e. *Mae angen **lleoli**'r garafán yn y cae.*
taro e.e. *Mae'n rhaid **taro**'r syniad ar bapur cyn i ti ei anghofio.*
sodro e.e. *Mae'r plismon wedi **sodro** ei law ar ysgwydd y lleidr.*
rhestru e.e. *Mae Dad wedi **rhestru**'r llyfrau yn nhrefn yr wyddor.*

gosod ar droed dechrau rhywbeth

grŵp *hwn: enw* **(grwpiau)** e.e. *Mae Huw yn hoffi canu mewn* ***grŵp****.*

Grwpiau o bobl:

bwrdd *hwn*	bwrdd o lywodraethwyr
byddin *hon*	byddin o filwyr
ciwed *hon*	ciwed o bobl ddrwg
côr *hwn*	côr o gantorion
criw *hwn*	criw o forwyr/bobl
cwmni *hwn*	cwmni o actorion/wŷr busnes/ffrindiau
cyngor *hwn*	cyngor o gynghorwyr
cylch *hwn*	cylch o gyfeillion
cymanfa *hon*	cymanfa o gantorion/grefyddwyr
cynulleidfa *hon*	cynulleidfa o wrandawyr
mintai *hon*	mintai o farchogion
mudiad *hwn*	mudiad o aelodau
parti *hwn*	parti o berfformwyr
senedd *hon*	senedd o aelodau seneddol
tîm *hwn*	tîm o chwaraewyr
torf *hon*	torf o bobl

Grwpiau o anifeiliaid:

cenfaint *hon*	cenfaint o foch
diadell *hon*	diadell o ddefaid
gwedd *hon*	gwedd o geffylau
gyr *hwn*	gyr o wartheg
haid *hon*	haid o wenyn
haig *hon*	haig o bysgod
pac *hwn*	pac o helgwn
praidd *hwn*	praidd o ddefaid

 ***Edrychwch hefyd dan*** **torf; casgliad**

 Croesystyr: **unigolyn**

gwael *ansoddair*

1. ***o safon isel*** e.e. *Llyfr **gwael** yw hwn.*

sâl

truenus e.e. *Golwg **druenus** sydd ar y castell erbyn hyn.*
tila e.e. *Ymateb digon **tila** sydd wedi bod i'r gystadleuaeth syrffio.*
diwerth e.e. *Map **diwerth** yw hwn am ei fod wedi torri'n ddarnau.*
pitw e.e. *Cyflog **pitw** oedd yn cael ei dalu i'r glowyr a'r chwarelwyr.*
bratiog e.e. *Saesneg **bratiog** sy'n cael ei siarad gan Martha.*
di-raen e.e. *Dillad **di-raen** sydd am y bwgan brain.*
anfoddhaol e.e. *Mae'r sŵn crafu ar y ffôn yn **anfoddhaol**.*

 Croesystyr: **gwych**

2. ***heb fod yn iach*** e.e. *Mae Tad-cu yn **wael** iawn yn yr ysbyty.*

sâl	**tost**	**claf**

anhwylus e.e. *Rydw i'n teimlo'n **anhwylus** heddiw.*

 **tro gwael** twyllo, gwneud cam â rhywun

 ***Edrychwch hefyd dan*** **drwg; llwm; tlawd**

 Croesystyr: **iach**

gwaethygu *berfenw* e.e. *Mae'r tywydd yn **gwaethygu**'n gyflym.*

mynd o ddrwg i waeth

dirywio e.e. *Mae safon gwaith Reuben wedi **dirywio**.*
dadfeilio e.e. *Mae'r hen dŷ'n dechrau **dadfeilio**.*
gwaelu e.e. ***Gwaelu** mae iechyd Taid, nid gwella.*

 ***Edrychwch hefyd dan*** **gwywo**

 Croesystyr: **gwella**

gwahanol *ansoddair* e.e. *Dyma ffordd eithaf* ***gwahanol*** *i fwyta sbageti.*

gwreiddiol	arbennig

annhebyg e.e. *Mae Caitlin yn* ***annhebyg*** *iawn i'w chwaer.*
amrywiol e.e. *Plannodd Cerian* ***amrywiol*** *fathau o flodau yn ei gardd.*
amryfal e.e. *Mae* ***amryfal*** *fathau o greision i gael yn y siop.*
arall e.e. *Beth am ddilyn llwybr* ***arall*** *i'r ysgol heddiw?*

 Croesystyr: **tebyg**

gwaith *hwn: enw* e.e. *Ffermio yw* ***gwaith*** *Dad.*

busnes	swydd

gorchwyl *hwn* e.e. ***Gorchwyl*** *anodd yw creu gêm gyfrifiadurol o'r dechrau.*
tasg *hon* e.e. *Mae* ***tasg*** *anodd o flaen y plant yn yr ysgol heddiw.*
llafur *hwn* e.e. ***Llafur*** *caled yw dysgu tablau.*

 **deuparth gwaith ei ddechrau** y gwaith anoddaf yw dechrau ar y gwaith ('deuparth' yw dwy ran o dair)

 Croesystyr: **diogi; diweithdra**

gwan *ansoddair* e.e. *Coesau bach* ***gwan*** *sydd gan y ddoli glwt.*

brau	llipa

eiddil e.e. *Mae'r baban bach* ***eiddil*** *yn sgrechian o hyd.*
tila e.e. *Ymateb digon* ***tila*** *fu i'r gystadleuaeth ddawns.*
gwantan e.e. *Un digon* ***gwantan*** *ei hiechyd fu Gwen erioed.*
sigledig e.e. *Rydw i'n teimlo'n ddigon* ***sigledig*** *ar ôl pwl o ffliw.*

 Croesystyr: **cryf; cadarn**

gwasanaeth *hwn: enw*

1. ***math o gyfarfod neu seremoni*** e.e. *Mae* ***gwasanaeth*** *arbennig yn yr eglwys gadeiriol ar Sul y Pasg.*

cwrdd	seremoni

oedfa *hon* e.e. *Mae'r plant yn canu yn yr* ***oedfa*** *garolau heno.*
addoliad *hwn* e.e. *Wyt ti'n mynd i'r* ***addoliad*** *yn y deml yfory?*

Mathau penodol o wasanaeth:

priodas *hon* gwasanaeth i briodi dau berson
angladd *hwn* neu *hon* gwasanaeth yn dilyn marwolaeth person
plygain *hwn* gwasanaeth traddodiadol i ddathlu'r Hen Galan neu'r Nadolig
bedydd *hwn* gwasanaeth bedyddio

 ***Edrychwch hefyd dan*** **seremoni**

2. ***ffordd o helpu*** e.e. *Mae Siôn wedi rhoi* ***gwasanaeth*** *da i'r tîm dros y blynyddoedd wrth chwarae yn y gôl.*

cymorth *hwn* e.e. *Mae Asif wedi bod yn rhoi* ***cymorth*** *i griw'r Frigâd Dân.*
help *hwn* e.e. *Nid yw'r llyfrgell o unrhyw* ***help*** *os yw ar gau drwy'r amser.*
defnydd *hwn* e.e. *Mae'r bws mini at* ***ddefnydd*** *pawb yn yr ysgol.*
gwerth *hwn* e.e. *Ydy cael lifft yn y tŷ o unrhyw* ***werth****?*

gwasanaethu

berfenw e.e. *Mae Lowri wrth ei bodd yn* ***gwasanaethu*** *yn y siop.*

helpu	cynorthwyo	gweithio

cefnogi e.e. *Mae Ceri bob amser yn barod i* ***gefnogi****'r tîm.*
gofalu am e.e. *Mae Dr Morgan yn* ***gofalu am*** *bobl yr ardal.*

 ***Edrychwch hefyd dan*** **gweithio**

gwasgaru

berfenw e.e. *Mae'r gwynt wedi* ***gwasgaru****'r dail ar hyd y palmant.*

hau	lledaenu	rhannu	taenu

chwalu e.e. *Mae gwydr wedi* ***chwalu*** *dros y llawr i gyd.*
chwistrellu e.e. *Mae'r plentyn bach wedi* ***chwistrellu*** *dŵr dros yr oedolion sy'n eistedd wrth y pwll.*

 Croesystyr: **casglu**

gwasgu *berfenw* e.e. *Mae Mam yn ceisio* ***gwasgu*** *ei thraed i mewn i fy welingtons i!*

stwffio	gwthio

pwyso e.e. *Mae'r newyddion drwg yn* ***pwyso****'n drwm ar feddwl Anwen.*
closio e.e. *Mae'r cŵn bach wedi* ***closio*** *at ei gilydd er mwyn cadw'n gynnes.*
dwyn pwysau e.e. *Mae ei frawd yn* ***dwyn pwysau*** *ar Alun i fynd i'r sinema.*
pinsio (wrth siarad) e.e. *Aw! Mae'r esgidiau yma yn* ***pinsio*** *bysedd fy nhraed!*

gwasgwch arni ewch yn gyflymach

Croesystyr: **gollwng**

gwastad *ansoddair*

1. ***fflat*** (wrth siarad) ***a llyfn*** e.e. *Llwybr* ***gwastad*** *iawn ar gyfer beiciau yw hwn.*

fflat	llyfn

2. ***o hyd ac o hyd*** e.e. *Mae John* ***wastad*** *yn hwyr i'r ysgol.*

bob amser	o hyd	bob tro	byth a hefyd

ar wastad cefn yn gorwedd ar y cefn
ar orwedd yn wastad

Edrychwch hefyd dan **esmwyth; llyfn**

Croesystyr: **anwastad**

gwastraffu *berfenw* e.e. *Paid â* ***gwastraffu*** *amser ar y pôs yna.*

colli

camddefnyddio e.e. *Mae Celt wedi* ***camddefnyddio*** *ei arian cinio ac wedi prynu siocled yn lle bwyd go iawn.*
afradu e.e. *Bwyta dy lysiau a phaid* ***afradu*** *bwyd da.*

Croesystyr: **cynilo; arbed**

gweddol *ansoddair e.e. Cawsom dywydd **gweddol** ar ein gwyliau.*

cymedrol	eithaf	iawn

lled e.e. *Mae'r gwaith yma yn **lled** dda ond mae lle i wella eto.*
pur e.e. *Rydw i'n teimlo'n **bur** dda erbyn hyn, diolch.*
symol e.e. ***Symol** yw ei gyflwr o hyd yn dilyn y ddamwain.*

✗ Croesystyr: **rhagorol; ofnadwy**

gweiddi *berfenw e.e. Mae Carys yn **gweiddi** ar ei ffrindiau o hyd.*

bloeddio	sgrechian	taranu

gwichian e.e. *Pan fydd Nain yn colli'i thymer mae'n **gwichian** arnom ni.*
bytheirio e.e. *Mae Mam yn **bytheirio** ar y cathod gwyllt sy'n sgrechian drwy'r nos.*

Sŵn:	***Anifail:***
brefu	dafad/buwch/gafr
clegar	gŵydd
clochdar	iâr
cyfarth	ci
gweryru	ceffyl
gwichian	llygoden
mewian	cath
nadu	asyn
rhochian	mochyn
rhuo	llew
sgrechian	paun
trydar	aderyn
udo	blaidd

✗ Croesystyr: **sibrwd**

gweithio *berfenw e.e. Roedd Dad-cu yn arfer **gweithio** yn y ffatri.*

gwasanaethu

gweithredu e.e. *Mae'n rhaid **gweithredu** fel tîm i ennill y gêm.*
llafurio e.e. *Mae'n rhaid **llafurio**'n galed i ddysgu geiriau'r sgript cyn y sioe.*
chwysu e.e. *Rydw i wedi bod yn **chwysu** yn y gampfa drwy'r bore.*

wrthi fel lladd nadredd gweithio'n galed

Croesystyr: **gorffwys; diogi**

gweld *berfenw* e.e. *Rydw i'n **gweld** bod teulu drws nesaf wedi cyrraedd adref o'u gwyliau.*

deall	sylwi

canfod e.e. *Roedd Amir wedi **canfod** corryn ar waelod ei fag.*
dychmygu e.e. *Wyt ti'n gallu **dychmygu** Megan yn canu mewn band?*

dim yn gweld ymhellach na'i drwyn am rywun nad yw'n gallu gweld canlyniadau gwneud neu beidio gwneud

gwella *berfenw*

1. ***dod yn well*** e.e. *Mae angen **gwella** peth ar y stori hon.*

caboli	tacluso	cywiro

perffeithio e.e. *Mae'n rhaid ymarfer llawer er mwyn **perffeithio** sgiliau.*
mireinio e.e. *Mae hon yn stori dda, ond rhaid **mireinio** peth ar yr iaith.*
diwygio e.e. *Mae angen **diwygio**'r gwersi a'u gwneud yn fwy diddorol.*
gloywi e.e. *Mae cyrsiau **gloywi** iaith yn helpu dysgwyr gyda'u Cymraeg.*
twtio e.e. *Mae'r tŷ'n berffaith lân ond mae angen **twtio**'r ardd.*
harddu e.e. *Gallwn **harddu**'r tŷ'n fawr gydag ychydig o baent.*

Croesystyr: **gwaethygu**

2. ***dod yn iach*** e.e. *Mae Siôn wedi **gwella** ar ôl y ddamwain.*

cryfhau

iacháu e.e. *Roedd Nia yn benderfynol o fod yn feddyg er mwyn helpu **iacháu** pobl ar draws y byd.*
lliniaru e.e. *Bydd yr eli yma'n **lliniaru**'r poen.*

Croesystyr: **gwaethygu**

a b c ch d dd e f ff **g** ng h i j l ll m n o p ph r rh s t th u w y

gwerthfawr *ansoddair* e.e. *Dyma anrheg* ***werthfawr*** *iawn.*

drud | **prin**

manteisiol e.e. *Byddai'n* ***fanteisiol*** *i ti gael gwersi nofio rhag i ti foddi.*
buddiol e.e. *Cawsom wers* ***fuddiol*** *iawn gan y dyfarnwr ar sut i daclo.*
amhrisiadwy e.e. *Profiad* ***amhrisiadwy*** *oedd cael mynd ar daith o gwmpas Stadiwm y Mileniwm.*

Croesystyr: **diwerth**

gwir *ansoddair* **yn wir** e.e. *Ydych chi'n siŵr fod hynny'****n wir****?*

cywir | **onest** | **iawn**

ffaith e.e. *Mae'n* ***ffaith*** *nad oedd hi wedi mynd allan o'r tŷ nos Sadwrn.*

wir yr yn bendant iawn
wir i ti yn bendant
go iawn yn wir

Edrychwch hefyd dan **iawn**

Croesystyr: **ffug; celwyddog**

gwirion *ansoddair* e.e. *Bachgen* ***gwirion*** *iawn yw Ianto.*

dwl | **ffôl** | **hurt**

twp e.e. *Dyna beth* ***twp*** *oedd arllwys cwstard ar y cig yn lle grefi.*
ynfyd e.e. *Mae mynd i lan y môr yng nghanol y glaw yn syniad* ***ynfyd****.*
disynnwyr e.e. *Mae hwn yn gynllun* ***disynnwyr****.*
annoeth e.e. *Syniad* ***annoeth*** *yw dringo'r goeden yna.*

gan y gwirion y ceir y gwir gan rywun diniwed, nad oes ganddo'r gallu i ddweud celwyddau, y cewch chi'r gwir

Croesystyr: **call; doeth**

gwneud *berfenw* e.e. *Pwy sydd wedi* ***gwneud*** *y sioe gerdd hon?*

ysgrifennu | **cyfansoddi** | **cynllunio**

achosi e.e. *Y storm sydd wedi **achosi** i'r simnai ddisgyn.*
llunio e.e. *Rydw i wrthi'n **llunio** cerdd ar y testun 'Heddiw'.*
peri e.e. *Beth sy'n **peri** i'r afon orlifo ei glannau?*
cyflawni e.e. *Mae Siân wedi **cyflawni** gwyrthiau yn hyfforddi'r ci drwg.*

gwneud môr a mynydd o rywbeth gwneud ffŷs o rywbeth dibwys
gwneud chwarae teg â rhywun neu rywbeth bod yn deg gyda rhywun neu rywbeth

Edrychwch hefyd dan **ffurfio**

Croesystyr: dad-wneud; distrywio

gŵr

hwn: enw e.e. *Pwy yw'r **gŵr** dieithr yna?*

brawd	dyn	person

bonheddwr *hwn* e.e. ***Bonheddwr** crand a phwysig oedd yr Arglwydd Rhys.*
priod *hwn* dyn sydd wedi priodi e.e. *Mae Mair a'i **phriod** wedi mynd i siopa yng Nghaerdydd.*

Y Gŵr Drwg Y Diafol

gwrach

hon: enw **(gwrachod)** e.e. *Pwy sy'n chwarae rhan **gwrach** yn y pantomeim eleni?*

Enwau eraill am wrachod:

dewines *hon*	un sy'n medru dewiniaeth
hudoles *hon*	un sy'n medru hudo
rheibes *hon*	un sy'n medru creu swynion drwg
swynwraig *hon*	un sy'n defnyddio swynion

Edrychwch hefyd dan **dewin**

gwraig

hon: enw e.e. ***Gwraig** gyfeillgar sy'n byw drws nesaf.*

dynes	menyw	merch

gwreigan *hon* e.e. ***Gwreigan** annwyl 90 oed yw Anti Sal.*
priod *hon* merch sydd wedi priodi e.e. *Mae Dafydd a'i **briod** yn hoffi pysgota.*

gwreiddiol *ansoddair* e.e. *Mae llawer o syniadau* ***gwreiddiol*** *yn y ffilm.*

ffres | **newydd**

dychmygus e.e. *Mae'r llyfr hwn yn llawn syniadau* ***dychmygus***.
cynharaf e.e. *Mae'r llun* ***cynharaf*** *dipyn yn harddach na'r copi hwn.*
cyntaf e.e. *Pwy oedd y Dr Who* ***cyntaf***?
unigryw e.e. *Mae gan Jac steil gwallt* ***unigryw*** *iawn.*

gwrthod *berfenw* e.e. *Mae Rhys yn* ***gwrthod*** *bwyta pys.*

pallu | **peidio**

nadu (yn y Gogledd) e.e. *Mae Mam yn* ***nadu*** *i mi fynd i'r siop i brynu siocled.*
cáu (yn y Gogledd) e.e. *Mae'r car yn* ***cáu*** *mynd yn y tywydd oer.*

Edrychwch hefyd dan **pallu**

Croesystyr: derbyn

gwthio *berfenw* e.e. *Teimlais i rywun yn* ***gwthio*** *fy nghefn.*

procio

gyrru e.e. *Roedd y blaenwyr yn* ***gyrru*** *ymlaen â'r bêl yn eu meddiant.*
gwasgu e.e. *Os ydych chi'n* ***gwasgu****'r botwm coch bydd y larwm yn canu.*
pwyso e.e. *Pwy sydd wedi* ***pwyso*** *botwm y larwm tân?*
gorfodi e.e. *Mae'r storm wedi* ***gorfodi*** *pawb i chwilio am gysgod.*
symud e.e. *Roedd y dyn yn ceisio* ***symud*** *y bocs trwm allan o'r ffordd.*
pwnio e.e. *Mae rhywun yn* ***pwnio*** *fy nghefn ag ymbarel.*

Edrychwch hefyd dan **bwrw**

gwybod *berfenw* e.e. *Mae pawb yn* ***gwybod*** *beth yw'r sefyllfa.*

deall

cofio e.e. *Rydw i'n* ***cofio****'r ffordd o fan hyn ymlaen.*
cyfarwydd â e.e. *Wyt ti'****n gyfarwydd â****'r ffordd i Ynys-y-bŵl?*
cynefin â e.e. *Wyt ti'n* ***cynefin â****'r ffordd dros y mynydd?*
sicr e.e. *Wyt ti'n* ***sicr*** *y bydd ef ar gael i chwarae ddydd Sadwrn?*

gwybod be' di be' deall yn iawn lle y mae pethau arni
gwybod lle rydw i'n sefyll gwybod barn rhywun amdanaf

gwych *ansoddair* e.e. *Syniad* ***gwych*** *oedd mynd i lan y môr heddiw.*

ardderchog	bendigedig	campus	da
penigamp	rhagorol		

godidog e.e. *Mae tywydd* ***godidog*** *yn Sbaen drwy'r flwyddyn.*
tan gamp campus e.e. *Syniad* ***tan gamp*** *oedd cael pitsa i swper heno.*
eithriadol o dda e.e. *Mae'r tywydd yn* ***eithriadol o dda*** *o hyd.*
ysgubol e.e. *Roedd perfformiad Sara yn y sioe yn* ***ysgubol****.*
ysblennydd e.e. *Dyma ddarlun* ***ysblennydd*** *iawn.*

X Croesystyr: **ofnadwy**

gwydn *ansoddair* e.e. *Mae'r cig yma mor sych a* ***gwydn*** *â lledr.*

caled

cryf e.e. *Ydy'r rhaff yma'n ddigon* ***cryf*** *i'n dal?*

gwyllt *ansoddair* e.e. *Ci* ***gwyllt*** *iawn ei natur yw Pero.*

ffyrnig	chwyrn	cynddeiriog

afreolus e.e. *Mae'r mwncïod yn y sw yn* ***afreolus*** *iawn heno.*
penboeth e.e. *Paid â bod mor* ***benboeth****!*
lloerig e.e. *Mae golwg eithaf* ***lloerig*** *a chas ar y tarw acw.*
penwan e.e. *Mae'r holl sŵn yn gyrru Taid yn* ***benwan****.*
anystywallt heb reolaeth dros e.e. *Mae criw dwl* ***anystywallt*** *yn y tîm.*
diffaith e.e. *Mae'r tir o gwmpas y parc chwarae'n* ***ddiffaith*** *erbyn hyn.*

yn gandryll yn wyllt iawn
gyrru o 'nghof achosi i rywun fynd yn wyllt
yn wyllt gacwn yn gynddeiriog

 Croesystyr: **dof**

a
b
c
ch
d
dd
e
f
ff
g
ng
h
i
j
l
ll
m
n
o
p
ph
r
rh
s
t
th
u
w
y

gwywo *berfenw* e.e. *Roedd y planhigion yn dechrau* ***gwywo*** *yn yr haul.*

marw

crino e.e. *Mae'r dail yn* ***crino*** *oherwydd diffyg dŵr.*
crebachu e.e. *Mae'r blodau'n dechrau* ***crebachu*** *yn y gwres.*
edwino e.e. *Os na chawn ni law bydd y planhigion yn* ***edwino****.*

Edrychwch hefyd dan **gwaethygu**

Croesystyr: tyfu

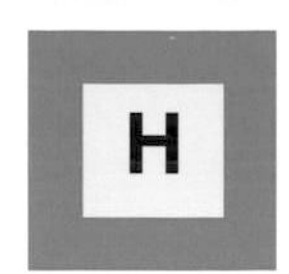

H

hael *ansoddair* e.e. *Mae Mrs Huws yn* ***hael*** *iawn gyda'i harian.*

caredig	parod

helaeth e.e. *Mae Dyfed wedi cyfrannu'n* ***helaeth*** *at ysgrifennu'r llyfr.*

 Croesystyr: **cybyddlyd; tyn**

hapus *ansoddair* e.e. *Mae Rhian yn* ***hapus*** *ar ôl cael newyddion da.*

llawen	llon	siriol

bodlon e.e. *Un* ***bodlon*** *iawn i helpu yw Ceri.*
gwenu e.e. *Mae Elin yn* ***gwenu*** *am y tro cyntaf ers wythnosau.*
dedwydd e.e. *Dyddiau* ***dedwydd*** *oedd y dyddiau yn yr ysgol gynradd.*
diddig e.e. *Mae'r ci anwes yn gorwedd yn eithaf* ***diddig*** *o flaen y tân.*

wrth fy modd yn hapus iawn
mewn hwyliau da yn hapus iawn
yn wên o glust i glust yn hapus iawn

 Croesystyr: **trist; digalon**

hardd *ansoddair* e.e. *Roedd llun* ***hardd*** *o gastell ar wal y tŷ.*

prydferth	pert	tlws

golygus e.e. *Bachgen* ***golygus****, tal yw Iolo.*
cain e.e. *Mae patrwm* ***cain*** *yn addurno clawr y cryno ddisg.*
caboledig e.e. *Llyfr* ***caboledig*** *iawn yw hwn.*
cywrain e.e. *Mae addurniadau* ***cywrain*** *ar hyd ffrâm y beic.*
chwaethus e.e. *Mae celfi* ***chwaethus*** *iawn yn y gwesty.*
lluniaidd e.e. *Mae coesau'r gadair hon yn* ***lluniaidd*** *iawn.*

hardd pob newydd mae pobl yn hoffi bod yn ffasiynol ac yn meddwl fod popeth newydd yn hardd

 ***Edrychwch hefyd dan*** **pert**

 Croesystyr: **hyll; salw**

a b c ch d dd e f ff g ng h i j l ll m n o p ph r rh s t th u w y

hel *berfenw* e.e. *Roedd Siân yn ceisio* ***hel*** *digon o arian i brynu beic.*

casglu

crynhoi e.e. *Mae Fflur wedi* ***crynhoi*** *dros £100 ers ei phen-blwydd.*
cronni e.e. *Mae'r dŵr i gyd wedi* ***cronni*** *ar waelod yr ardd.*
cywain e.e. *Mae gan Iestyn beiriant* ***cywain*** *gwair newydd.*
tyrru e.e. *Mae torf yn* ***tyrru*** *o gwmpas yr actores enwog.*

hel clecs casglu ac adrodd clecs
hel dail siarad o gwmpas testun a pheidio dod i'r pwynt
hel mêl i'r cwch casglu arian a chyfoeth, fel y mae gwenyn yn casglu mêl
hel straeon casglu storïau

Croesystyr: **gwasgaru**

helpu *berfenw* e.e. *Pwy sy'n barod i'n* ***helpu*** *ni gyda'r gwaith?*

cynorthwyo **cefnogi**

hybu e.e. *Mae canu'r anthem ar ddechrau'r gêm yn siŵr o* ***hybu****'r tîm.*
hwyluso e.e. *Bydd defnyddio geiriadur yn* ***hwyluso*** *dy waith cartref.*
bod o gymorth e.e. *Wyt ti'n gallu* ***bod o gymorth*** *ar y trip i'r sw?*

help llaw helpu yn fodlon
help llaw chwith helpu yn anfodlon

Croesystyr: **rhwystro**

helynt *hwn* neu *hon: enw* e.e. *Mae ci drws nesaf yn achosi* ***helynt*** *o hyd.*

trafferth **ffwdan** **cynnwrf** **stŵr** **cyffro**

helbul *hwn* e.e. *Mae rhyw* ***helbul*** *yn y parc bob nos.*
trwbl *hwn* e.e. *Mae Josh yn mynd allan o'i ffordd i chwilio am* ***drwbl****.*
strach *hon* e.e. *Mae Dad wedi mynd i dipyn o* ***strach*** *gyda'r cyfrifiadur newydd.*
trybini *hwn* e.e. *Mae cathod drws nesaf mewn rhyw* ***drybini*** *o hyd.*
cythrwfl *hwn* e.e. *Mae Llŷr wedi bod mewn* ***cythrwfl*** *ar y cae pêl-droed.*

Edrychwch hefyd dan **ffwdan; terfysg; trafferth; problem**

Croesystyr: **llonyddwch; heddwch**

hen *ansoddair* e.e. *Mae Dad-cu'n dechrau mynd yn **hen**.*

oedrannus

hynafol e.e. *Mae'r castell ar y bryn yn **hynafol** iawn.*
traddodiadol e.e. *Mae'r syniad hwn yn un **traddodiadol** dros ben.*

gwth o oedran disgrifiad o rywbeth hen iawn

heol *hon: enw* **(heolydd)** e.e. *Mae'n rhaid mynd ar hyd yr **heol** i'r dref.*

ffordd | **lôn** | **priffordd** | **stryd** | **traffordd**

cefnffordd ffordd fwy na phriffordd ond heb fod mor fawr â thraffordd
lôn bost yr enw ar ffordd fawr a ddefnyddiwyd slawer dydd gan y Goets Fawr i gario'r Post Brenhinol

hir *ansoddair*

1. ***amser*** e.e. *Bu raid i ni aros am amser **hir** am fod y trên yn hwyr.*

maith

diddiwedd e.e. *Mae'r daith o un pen o Rwsia i'r llall yn **ddiddiwedd**.*

Croesystyr: **byr**

2. ***pellter*** e.e. *Mae'r daith ar y bws i Baris yn **hir**.*

pell | **maith**

diddiwedd e.e. *Mae'r llwybr i ben y mynydd yn **ddiddiwedd**.*
llaes e.e. *Roedd hi'n gwisgo ffrog **laes** oedd yn cyrraedd hyd at ei thraed.*
di-dor e.e. *Mae rhes **ddi-dor** o bobl yn disgwyl am y bws.*

ymhen hir a hwyr o'r diwedd, wedi hir aros

Croesystyr: **byr; cwta**

hiraeth *hwn: enw* e.e. *Roedd y fam mewn* ***hiraeth*** *ar ôl colli ei mab.*

galar

dyhead *hwn* e.e. *Mae* ***dyhead*** *ar Mari am fynd yn ôl i Dde Affrica.*
chwant *hwn* e.e. *Mae* ***chwant*** *ar Iwan o hyd am fynd adref.*
tristwch *hwn* e.e. *Mae Elen yn teimlo* ***tristwch*** *wrth ffarwelio â'i theulu.*

hoffi *berfenw* e.e. *Rydw i'n* ***hoffi*** *cwmni Nain a Taid yn fawr.*

caru	mwynhau

edmygu e.e. *Rydw i'n* ***edmygu*** *gwaith yr arlunydd Picasso.*

cael blas ar yn hoffi
cael hwyl ar yn mwynhau
wrth fodd yn cael pleser

Croesystyr: casáu

hud *hwn: enw* e.e. *Mae'r clown yn defnyddio* ***hud*** *arbennig i wneud triciau.*

swyn

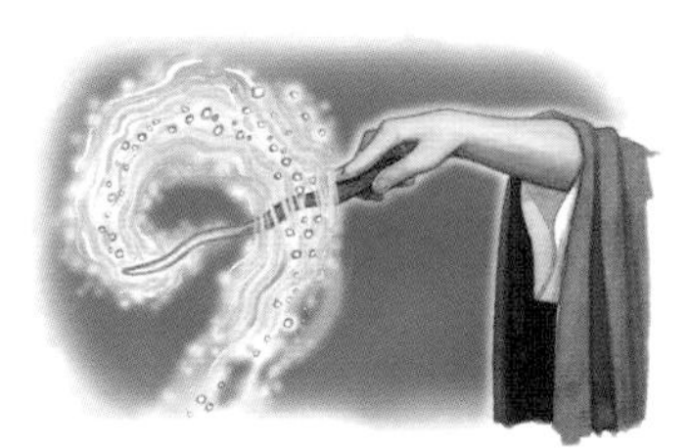

hudoliaeth e.e. *Mae'r stori hon am y tylwyth teg yn llawn* ***hudoliaeth****.*
cyfaredd e.e. *Mae geiriau'r dewin yn llawn* ***cyfaredd****.*
dewiniaeth e.e. *Mae* ***dewiniaeth*** *arbennig yn perthyn i'r actor hwn.*

hud a lledrith fel arfer mae'r ddau air yn cael eu defnyddio gyda'i gilydd i olygu swyn

hyfryd *ansoddair* e.e. *Peth* ***hyfryd*** *yw mynd i lan y môr.*

braf	dymunol

pleserus e.e. *Cawsom ddiwrnod* ***pleserus*** *iawn yn y ffair.*
hawddgar e.e. *Dyn* ***hawddgar*** *a charedig iawn yw Mr Jones.*

rhadlon e.e. *Mae dyfarnwr y gêm yn **rhadlon** iawn ac yn gwenu drwy'r amser.*
hwyliog e.e. *Cefais wers ddawnsio **hwyliog** iawn heddiw.*
mwyn e.e. *Rydw i'n hoffi tywydd **mwyn** ac yn casáu tywydd oer.*

 ***Edrychwch hefyd dan*** **annwyl; braf**

 Croesystyr: **diflas**

hynod *ansoddair* e.e. *Roedd yn ddiwrnod **hynod** o braf.*

arbennig	nodedig	od	rhyfedd

neilltuol e.e. *Mae tîm yr ysgol wedi gwneud yn **neilltuol** o dda yn y gystadleuaeth.*
anghyffredin e.e. *Daeth Gwen i'r briodas yn gwisgo het o liw **anghyffredin**.*

Edrychwch hefyd dan **rhyfedd**

 Croesystyr: **cyffredin; arferol**

a b c ch d dd e f ff g ng h i j l ll m n o p ph r rh s t th u w y

I

iach *ansoddair* e.e. *Mae golwg **iach** ar dy dad ar ôl y llawdriniaeth.*

da | **ffit** | **heini**

cadarn e.e. *Mae gwreiddiau **cadarn** gan y goeden afalau acw.*
llesol e.e. *Does dim yn fwy **llesol** na bwyta pum ffrwyth bob dydd.*
iachus e.e. *Mae lliw **iachus** ar dy fochau di ar ôl rhedeg y ras.*
holliach e.e. *Mae moddion cŵn arbennig yn cadw Pero'n **holliach**.*
cryf e.e. *Roedd golwg **gryf** ar y cystadleuwyr i gyd wedi'r holl ymarfer.*
dianaf e.e. *Roedd Mali yn lwcus i gerdded o'r ddamwain yn **ddianaf**.*

awyr iach allan yn yr awyr agored
canu'n iach dweud ffarwél

Croesystyr: **afiach; sâl**

iawn *ansoddair* e.e. *Rhaid i ti ateb y cwestiwn yn **iawn** i ennill y cwis.*

cywir

gwir e.e. *Mae'n **wir** i ddweud fod Caerdydd yn ddinas fawr.*
teg e.e. *Nid yw'n **deg** fod Sami'n cael mynd allan gyntaf bob tro.*
addas e.e. *Ydy'r dillad hyn yn **addas** ar gyfer ymarfer corff?*
priodol e.e. *Nid dyma'r ffordd **briodol** i ymddwyn yn y dosbarth.*

Enghreifftiau lle mae 'iawn' yn cael ei ddefnyddio i gryfhau yr hyn y mae'n ei ddilyn:

da iawn
mawr iawn
gwael iawn

yn llygad dy le bod yn hollol gywir

Edrychwch hefyd dan gwir

Croesystyr: **anghywir**

ifanc *ansoddair* e.e. *Mae'r ebol **ifanc** yn un tlws iawn.*

bach | **bychan**

ffres e.e. *Mae dail **ffres** yn dechrau blaguro ar y coed yn y gwanwyn.*
ir e.e. *Mae planhigion **ir** yn tyfu yn y tŷ gwydr.*

Rhai geiriau lleol/tafodieithol am bobl ifanc:

llanc	**llances**
boi	**bodan**
crwt	**crotes**
crwtyn	**croten**
hogyn	**hogan/hogen/lodes/los**
llefnyn	**llafnes**
rhocyn	**rhoces**

 ***Edrychwch hefyd dan*** **ffres**

 **Croesystyr: hen**

isel *ansoddair* e.e. *Mae safon y gwaith yn **isel** iawn.*

gwael

llaes e.e. *Mae gwaelod y jîns yn hongian yn **llaes** o gwmpas ei draed.*
rhad e.e. *Mae pris llysiau yn **rhad** yr amser yma o'r flwyddyn.*
di-hwyl e.e. *Mae Teifion yn eithaf **di-hwyl** ar ôl colli Mot y ci.*
bas e.e. *Dŵr **bas** sydd yn y llyn.*

isel ei ysbryd yn drist iawn
ar drai pan fydd lefel y môr neu'r llanw'n isel neu pan fydd y môr wedi mynd allan

 **Croesystyr: uchel**

a b c ch d dd e f ff g ng h i j l ll m n o p ph r rh s t th u w y

a b c ch d dd e f ff g ng h i j l ll m n o p ph r rh s t th u w y

lamp *hon: enw* **(lampau)** e.e. *Mae* ***lamp*** *flaen y car wedi torri yn y ddamwain.*

golau

fflachlamp *hon* e.e. *Oes* ***fflachlamp*** *gyda ti?*
lantern *hon* e.e. *Mae sawl* ***lantern*** *ar sil y ffenest i roi golau yn y nos.*
llusern *hwn* lamp henffasiwn e.e. *Mae* ***llusern*** *yn hongian ger drws y tŷ.*

lapio *berfenw* e.e. *Rhaid* ***lapio*** *anrheg Nadolig Nain mewn papur sgleiniog.*

pacio

gorchuddio e.e. *Mae'r anrheg wedi ei* ***gorchuddio*** *mewn papur patrymog.*
rhwymo e.e. *Roedd y baban bach wedi'i* ***rwymo*** *mewn blanced gynnes.*

Croesystyr: dadlapio; tynnu'n rhydd

lol *hon: enw* e.e *Mae'n rhaid i ti ymddwyn yn gall a pheidio â siarad* ***lol****!*

dwli

ffwlbri *hwn* e.e. *Mae'r rhaglen deledu hon yn llawn jôcs a* ***ffwlbri****.*
nonsens *hwn* (wrth siarad) e.e. *Mae cymaint o* ***nonsens*** *ar y teledu heno nes fy mod i wedi penderfynu darllen llyfr.*
sothach *hwn* e.e. *Chlywais i erioed gymaint o* ***sothach*** *yn cael ei siarad gan neb erioed.*
rwtsh *hwn* (wrth siarad) e.e. *Paid â gwrando arno fe, mae'n siarad* ***rwtsh****.*

lol potes maip nonsens pur

Croesystyr: synnwyr

lwmpyn *hwn: enw* **(lympiau)** e.e. *Mae* ***lwmpyn*** *o glai gan y cerflunydd i'w fowldio.*

talp

telpyn *hwn* e.e. *Mae* ***telpyn*** *cas gan Ifan ar ei dalcen ar ôl bwrw ei ben.*
cnepyn *hwn* e.e. *Cwympodd* ***cnepyn*** *o lo allan o'r tân ar y carped.*
cwlffyn *hwn* e.e. *Mae* ***cwlffyn*** *o gaws gan Glyn ar ei blât.*

llac *ansoddair*

1. ***yn rhydd*** e.e. *Rydw i'n hoffi gwisgo dillad **llac** a chyfforddus.*

rhydd

llipa e.e. *Mae mwng y ceffyl yn gorwedd yn **llipa** ar ei gefn.*

 Croesystyr: **tyn**

2. ***yn anniben, yn wan neu'n anhrefnus*** e.e. *Mae dy ysgrifen wedi mynd i edrych yn **llac** iawn.*

anniben **esgeulus**

diofal e.e. *Gwaith **diofal** iawn yw hwn gan fod paent dros y lle i gyd.*
diafael e.e. *Digon **diafael** a diflas yw'r stori hon am y ffair hen bethau.*

 ***Edrychwch hefyd dan*** **esgeulus**

 Croesystyr: **taclus; trefnus**

lladd *berfenw* e.e. *Cafodd gwraig ei **lladd** gan leidr arfog tu allan i'r banc.*

llofruddio

dinistrio e.e. *Mae agwedd gas y rheolwr wedi **dinistrio** brwdfrydedd y tîm.*
difa e.e. *Mae'n rhaid **difa** pob anifail sy'n dioddef o glwy'r traed a'r genau.*

Gwahanol ffyrdd o ladd neu o gael eich lladd:

boddi	lladd mewn dŵr
crogi	lladd gyda rhaff o gylch y gwddf
dienyddio	lladd fel cosb
gwenwyno	lladd â gwenwyn
saethu	lladd â dryll neu fwa saeth
tagu	lladd drwy rwystro anadl
trywanu	lladd â chyllell neu arf miniog

lladd dau aderyn ag un ergyd cyflawni dwy dasg gyda'r un weithred
lladd gwair, lladd mawn ayyb torri (a chasglu) gwair, mawn ayyb.
lladd nadroedd mynd ati gyda chryn egni a phrysurwch
lladd ar rywun beirniadu

 Croesystyr: **bywhau; adfywio**

llaith *ansoddair* e.e. *Roedd waliau'r hen dŷ yn **llaith** ac yn oer.*

gwlyb

tamp e.e. *Awyr **tamp** iawn sydd yn yr hen le tywyll yma.*
mwll e.e. *Bydd tywydd **mwll** yn yr haf pan fydd hi'n boeth, cymylog a gwlyb.*

 Croesystyr: **sych; cras**

llawer rhagenw e.e. *Roedd **llawer** o bobl wedi dod i weld y ffilm.*

tipyn | **llond y lle** | **nifer mawr**

cryn dipyn e.e. *Mae **cryn dipyn** o arian ar ôl heb ei wario.*
llwyth e.e. *Mae'r athro newydd wedi gosod **llwyth** o waith cartref i ni.*
sawl un e.e. *Mae **sawl un** wedi gofyn pryd bydd y gêm nesaf.*
lliaws e.e. *Roedd **lliaws** o bobl wedi dod i'r ffair eleni.*
crugyn e.e. *Roedd **crugyn** o goed wedi eu casglu ar gyfer y goelcerth.*

rhif y gwlith nifer mawr
llond gwlad llawer iawn

 Croesystyr: **ychydig**

llawn *ansoddair* e.e. *Mae'r gwaith yn **llawn** gwallau a bydd rhaid eu cywiro.*

llond

cyfan e.e. *Rydw i am gael y stori **gyfan** nid dim ond pwt ohoni.*
cyflawn e.e. *Mae'r bechgyn wedi bwyta pecyn **cyflawn** o fisgedi.*
trylwyr e.e. *Cefais archwiliad **trylwyr** yn yr ysbyty.*
cynhwysfawr e.e. *Dyma gasgliad **cynhwysfawr** iawn o luniau.*
cyforiog e.e. *Mae'r goeden yn **gyforiog** o flodau.*

dan sang fel yn 'dan ei sang' neu 'dan eu sang', yn llawn iawn
llawn dop yn llawn i'r ymylon

 Croesystyr: **gwag**

lle *hwn: enw* **(lleoedd)** e.e. *Yn y* ***lle*** *hwn y cafodd Llywelyn Fawr ei ladd.*

man

llecyn *hwn* e.e. *Dyma* ***lecyn*** *pert i gael picnic.*
safle *hwn* neu *hon* e.e. *Mae hwn yn edrych yn* ***safle*** *da i godi pabell.*
lleoliad *hwn* e.e. *Dyma* ***leoliad*** *da i dynnu llun.*
gofod *hwn* e.e. *Oes digon o* ***ofod*** *yma i barcio lorri?*
mangre *hon* e.e. *Dyma'r* ***fangre*** *y cafodd Llewelyn Fawr ei ladd.*
sefyllfa *hon* e.e. *Hoffwn i ddim fod yn ei* ***sefyllfa*** *fe!*
agoriad *hwn* e.e. *Mae* ***agoriad*** *yn y cwmni ar gyfer actor ifanc bywiog.*
gwagle *hwn* e.e. *Parciwch yn y* ***gwagle*** *ar bwys y garej.*
seddau *hyn* e.e. *Mae digon o* ***seddau*** *yma i bawb eistedd yn gyfforddus.*

yn y man a'r lle yn yr union fan

lles *hwn: enw* e.e. *Mae llysiau ffres yn gwneud* ***lles*** *i ti.*

daioni

budd *hwn* e.e. *Bydd darllen y llyfr yma o* ***fudd*** *i ti.*
maeth *hwn* e.e. *Mae* ***maeth*** *i'r corff mewn llaeth ffres.*
mantais *hon* e.e. *Bydd gallu siarad dwy iaith o* ***fantais*** *i mi.*

Croesystyr: **drwg**

llesol *ansoddair* e.e. *Mae mynd ar wyliau o dro i dro yn* ***llesol****.*

buddiol	**da o beth**

gwerthfawr e.e. *Roedd yr ymweliad â'r amgueddfa'n* ***werthfawr*** *iawn.*
maethlon e.e. *Mae tatws newydd Dad-cu yn rhai* ***maethlon*** *iawn.*

Edrychwch hefyd dan **da**

Croesystyr: **da i ddim**

lletchwith *ansoddair* e.e. *Mae'r clown acw'n symud yn* ***lletchwith*** *iawn.*

clogyrnaidd	**cloff**	**afrosgo**

trwsgl e.e. *Mae esgidiau sodlau uchel Louise mor* ***drwsgl*** *am ei thraed.*

Croesystyr: **gosgeiddig**

a
b
c
ch
d
dd
e
f
ff
g
ng
h
i
j
l
ll
m
n
o
p
ph
r
rh
s
t
th
u
w
y

llidiart *hwn* neu *hon: enw* **(llidiardau)** e.e. *Mae rhywun wedi gadael y **llidiart** ar agor.*

clwyd | **gât**

iet *hwn* e.e. *Mae **iet** hardd yn arwain i'r parc yng nghanol y dref.*
mynedfa *hon* e.e. *Oes **mynedfa** arall yn rhywle er mwyn i ni allu mynd i mewn?*

llifo *berfenw* e.e. *Roedd dŵr o'r afon yn **llifo** drwy'r tai i gyd wedi'r storm.*

rhedeg | **gorlifo**

llifeirio e.e. *Roedd y gwaed yn **llifeirio** o'r clwyf ar ei fys.*
dylifo e.e. *Ar ôl yr holl law roedd y dŵr yn **dylifo** i lawr ochr y mynydd.*
ffrydio e.e. *Mae dŵr yn **ffrydio** i wyneb y tir ar ôl ei balu.*
pistyllio e.e. *Roedd y gwaed yn **pistyllio** i bob man yn ystod yr ornest focsio.*
powlio e.e. *Mae dagrau'n **powlio** i lawr gruddiau'r plentyn.*

 Croesystyr: **sychu**

llonydd *ansoddair* e.e. *Mae'r gath yn gorwedd yn **llonydd** o flaen y tân.*

tawel | **distaw**

digyffro e.e. *Mae un dyn bach **digyffro** yng nghanol y dorf brysur.*
disymud e.e. *Mae'r ci defaid **disymud** yn gwylio'r defaid yn ofalus.*
segur e.e. *Mae'r dynion yn sefyll yn **segur** ar gornel y stryd.*

 **gadael llonydd** i gadael i rywun neu rywbeth fod, heb ymyrryd

 Croesystyr: **prysur**

llwm *ansoddair* e.e. *Ystafelloedd **llwm** iawn sydd yn yr hen wersyll.*

tlawd | **moel**

agored e.e. *Does dim byd yn tyfu ar y tir **agored** ar ben y mynydd.*
anial e.e. *Lle **anial** iawn yw hwn, heb unrhyw arwydd o fywyd.*
main e.e. *Maen nhw wedi byw yn ddigon **main** dros y blynyddoedd am nad oedd arian ganddyn nhw i'w wario.*

diffaith e.e. *Mae'r llwybr hwn drwy'r anialwch yn arwain ar draws tir* ***diffaith****.*
carpiog e.e. *Roedd Mrs Jones yn edrych yn wael yn ei dillad* ***carpiog*** *a'i gwallt yn hongian dros ei hysgwyddau.*
rhacsog e.e. *Roedd ei ddillad yn* ***rhacsog*** *a'i esgidiau yn llawn tyllau.*

 ***Edrychwch hefyd dan*** **gwael; tlawd; noeth**

 Croesystyr: **bras; cyfoethog**

llwyddo *berfenw e.e. Mae'r arbrawf i ffrwydro'r atom wedi* ***llwyddo****.*

gweithio

ffynnu e.e. *Mae'r planhigion yn* ***ffynnu*** *ar sil y ffenest.*

dod i ben llwyddo i wneud rhywbeth
gwneud yn dda bod yn llwyddiannus

 Croesystyr: **methu**

llydan *ansoddair* e.e. *Mae'r drws hwn yn ddigon* ***llydan*** *i gawr fynd drwyddo!*

mawr

eang e.e. *Mae'r cae hwn yn un* ***eang*** *dros ben.*

 ***Edrychwch hefyd dan*** **eang**

 Croesystyr: **cul; cyfyng**

llyfn *ansoddair* e.e. *Mae cerrig* ***llyfn*** *iawn ar wely'r afon.*

gwastad

esmwyth e.e. *Mae'r sidan yma'n teimlo'n* ***esmwyth*** *braf.*
llathraidd llyfn a disglair e.e. *Corff gwlyb* ***llathraidd*** *sydd gan y brithyll.*
sidanaidd meddal, llyfn a disglair e.e. *Cot ffwr* ***sidanaidd*** *sydd gan y gath.*
di-grych e.e. *Mae'r dillad yn* ***ddi-grych*** *ar ôl eu smwddio.*

 ***Edrychwch hefyd dan*** **esmwyth; gwastad**

 Croesystyr: **garw; anwastad**

M

main *ansoddair* e.e. *Bysedd* ***main****, hir sydd gan y pianydd.*

tenau

byw yn fain wrth ddisgrifio rhywun tlawd
clust fain clustiau sy'n gallu clywed yn dda
gwynt main gwynt oer
llais main llais uchel a gwichlyd
lliain main defnydd ysgafn

Edrychwch hefyd dan **tenau**

Croesystyr: **tew; llydan**

meirioli *berfenw* e.e. *Mae'r eira yn dechrau* ***meirioli*** *yn yr haul.*

dadlaith	**dadmer**	**toddi**

meddalu e.e. *Tynnwch yr hufen iâ o'r rhewgell iddo gael* ***meddalu*** *ychydig.*
diflannu e.e. *Mae'r eira i gyd wedi* ***diflannu*** *yng ngwres yr haul.*

Croesystyr: **rhewi; caledu**

melys *ansoddair* e.e. *Mae'r mefus aeddfed yma yn rhai* ***melys*** *tu hwnt.*

blasus

siwgwraidd e.e. *Roedd y gacen yn rhy* ***siwgwraidd*** *at fy nant i.*
peraidd e.e. *Roedd sŵn* ***peraidd*** *y plant yn canu i'w glywed lawr y stryd.*
persawrus e.e. *Mae arogl* ***persawrus*** *yn dod o'r gegin.*

melys moes mwy rydw i'n hoffi hwn, felly a gaf i ragor
ni cheir y melys heb y chwerw mae bywyd yn gymysgedd o bethau da a drwg

Edrychwch hefyd dan **blasus**

Croesystyr: **sur; chwerw**

mentro *berfenw* e.e. *Oes rhywun wedi* ***mentro*** *dringo i ben y graig uchel acw?*

beiddio	**meiddio**

gamblo (wrth siarad) e.e. *Mae Dafydd wedi* ***gamblo*** *ei arian i gyd ar y Loteri.*

os na fentri di beth, enilli di ddim mae'n rhaid mentro os am symud ymlaen

Croesystyr: **ofni**

mentrus *ansoddair* e.e. *Mae chwarae* ***mentrus*** *y tîm wedi arwain at gôl.*

beiddgar

anturus e.e. *Wyt ti'n teimlo'n ddigon* ***anturus*** *i fynd i hwylio heddiw?*
hy e.e. *Mae Ceri wedi bod yn ddigon* ***hy*** *i fynd ar daith o gwmpas y byd.*
eofn e.e. *Y marchog* ***eofn*** *sy'n ennill y dywysoges brydferth yn y chwedlau.*

Edrychwch hefyd dan **dewr**

Croesystyr: **ofnus**

min *hwn: enw* e.e. *Cafodd y tŷ ei godi ar* ***fin*** *y ffordd fawr.*

ochr	**ymyl**

awch *hwn* e.e. *Does dim* ***awch*** *o gwbl ar y gyllell fara 'ma.*

ar fin bron â gwneud rhywbeth neu ar ochr rhywbeth
min nos ar ddiwedd y dydd

Edrychwch hefyd dan **ochr**

miniog *ansoddair* e.e. *Wrth gasglu mwyar duon mae'n rhaid osgoi pigau* ***miniog*** *y drain.*

llym	**siarp** (wrth siarad)

pigfain e.e. *Gwthiodd y nyrs ben* ***pigfain*** *y nodwydd dan fy nghroen.*
pigog e.e. *Gwraig fach digon* ***pigog*** *ei thafod yw Martha.*
brathog e.e. *Gwnaeth Alun sylwadau* ***brathog*** *am fwyd diflas y gwesty.*
craff e.e. *Mae gan Elin feddwl* ***craff*** *sy'n llawn syniadau.*
crafog e.e. *Roedd sylwadau* ***crafog*** *yn y newyddion am berfformiad y tîm.*

Edrychwch hefyd dan **pigog**

Croesystyr: **di-awch**

a b c ch d dd e f ff g ng h i j l ll **m** n o p ph r rh s t th u w y

moethus *ansoddair* e.e. *Mae nifer o dai* ***moethus*** *yng nghanol y ddinas.*

cyfoethog	godidog	gwych	drud

crand e.e. *Roedd gan Manon ffrog* ***grand*** *iawn ar gyfer ei phriodas.*
cyfforddus e.e. *Mae'n hawdd syrthio i gysgu mewn gwely mawr* ***cyfforddus****.*

 Croesystyr: **tlawd; llwm**

mur *hwn: enw* **(muriau)** e.e. *Mae* ***mur*** *y castell yn uchel iawn.*

wal

pared *hwn* e.e. *Rydw i'n gallu clywed pob gair drwy'r* ***pared*** *tenau rhwng y ddwy ystafell.*
morglawdd *hwn* e.e. *Mae* ***morglawdd*** *uchel ar lan y môr yn Aberaeron.*

mwynhau *berfenw* e.e. *Roedd pawb yn* ***mwynhau*** *canu swynol y côr.*

hoffi

dwlu e.e. *Rydw i'n* ***dwlu*** *mynd i'r caffi i gael diod a theisen siocled.*

dotio ar dwlu ar
cael amser da cael profiad arbennig
cael blas mwynhau'n fawr
cael hwyl cael sbort
cael pleser cael profiad da
wrth fodd fel yn 'wrth fy modd', cael pleser arbennig

Croesystyr: **diflasu; cael llond bol**

mynnu *berfenw* e.e. *Mae Mam wedi* ***mynnu*** *ein bod ni'n mynd i siopa.*

gorchymyn

hawlio e.e. *Mae fy mrawd yn* ***hawlio*** *tâl am olchi car Dad.*
haeru e.e. *Mae fy chwaer yn* ***haeru*** *nad oedd hi ar gyfyl y ffair nos Sadwrn.*
honni e.e. *Mae'r plant yn* ***honni*** *eu bod wedi gweld cath wyllt yn y goedwig.*

 **bod yn rhaid** mynnu neu orfodi

N

neges *hon: enw* **(negeseuon)** e.e. *Mae Mam wedi danfon* ***neges*** *at Nain.*

llythyr	nodyn

newyddion e.e. *Mari ddaeth â'r* ***newyddion*** *am y ddamwain i'n tŷ ni.*
gwers *hon* e.e. *Mae* ***gwers*** *glir i'r gynulleidfa yn y stori hon.*
galwad *hon* e.e. *Mae* ***galwad*** *ffôn i ti oddi wrth yr ysgol.*

Mathau gwahanol o negeseuon:

ffacs
e-bost
neges testun

neidio *berfenw* e.e. *Mae'r llyffantod bach wedi* ***neidio*** *i'r dŵr.*

sboncio	tasgu

llamu e.e. *Edrychwch ar y morfil du a gwyn yn* ***llamu*** *allan o'r dŵr.*
prancio e.e. *Bydd ŵyn bach yn* ***prancio*** *yn y caeau yn y gwanwyn.*
plymio e.e. *Mae'r deifiwr wedi* ***plymio*** *i'r môr o ben y clogwyn.*

Croesystyr: **sefyll yn stond**

nerfus *ansoddair* e.e. *Rydw i'n teimlo'n* ***nerfus*** *iawn cyn mynd ar y llwyfan.*

ansicr	swil

ofnus e.e. *Roedd y ci bach newydd yn* ***ofnus*** *iawn.*
pryderus e.e. *Amser* ***pryderus*** *sy'n aros Anwen wrth iddi ddisgwyl canlyniad y gystadleuaeth.*
gofidus e.e. *Bachgen* ***gofidus*** *iawn yw Jacob sy'n ofni ei gysgod ei hun.*
dihyder e.e. *Digon* ***dihyder*** *oedd Cadi heddiw wrth siarad o flaen pawb.*
petrus e.e. *Roedd llawer o bobl* ***betrus*** *ar yr awyren adeg y storm.*

ar bigau'r drain yn nerfus ac anniddig
ar binnau yn nerfus a phryderus

Croesystyr: **hyderus; dewr**

a b c ch d dd e f ff g ng h i j l ll m n o p ph r rh s t th u w y

nerth *hwn: enw* **(nerthoedd)** e.e. *Mae angen* ***nerth*** *i godi'r bag trwm yma.*

cryfder	egni	grym	ynni

pŵer *hwn* e.e. *Mae llawer o* ***bŵer*** *yn ergydion y paffiwr.*

(gweiddi) nerth fy mhen mor uchel â phosibl
nerth fy nhraed mor gyflym â phosibl
mynd o nerth i nerth gwella a chryfhau

Croesystyr: gwendid

newid *berfenw e.e. Mae Mam-gu wedi penderfynu* ***newid*** *y lluniau ar y wal.*

cyfnewid	symud

troi e.e. *Wrth dwymo dŵr, mae'n* ***troi*** *o fod yn hylif i fod yn ager.*
ad-drefnu e.e. *Mae llawer o* ***ad-drefnu*** *wedi bod yn y siop ar ôl y lladrad.*
ffeirio e.e. *Rydw i wedi* ***ffeirio*** *dau docyn Man U am un o rai Lerpwl.*
gweddnewid e.e. *Mae Delyth wedi* ***gweddnewid*** *golwg yr hen dŷ.*
chwyldroi e.e. *Mae'n rhaid* ***chwyldroi*** *barn pawb am y pwnc.*
trosi e.e. *Wyt ti'n gallu* ***trosi****'r tymheredd o Celsiws i Fahrenheit?*
addasu e.e. *Mae'n rhaid* ***addasu*** *geiriau'r gân cyn y perfformiad heno.*
amrywio e.e. *Mae angen* ***amrywio****'r geiriau yn y frawddeg rhag ailadrodd.*
addasu e.e. *Cofiwch* ***addasu*** *cynnwys y stori er mwyn ei gwella.*

newid fy nghân dweud yn wahanol yn awr i'r hyn a ddywedais o'r blaen

Croesystyr: cadw

newydd *ansoddair e.e. Roedd syniadau Charles Darwin am natur yn* ***newydd*** *iawn.*

gwahanol	ffres	gwreiddiol	chwyldroadol

modern e.e. *Mae llawer o adeiladau* ***modern*** *i'w gweld yng Nghaerdydd.*
cyfoes e.e. *Mae'r llyfr hwn yn un* ***cyfoes*** *iawn sy'n llawn lluniau cyffrous.*
arloesol e.e. *Roedd lluniau Picasso yn* ***arloesol*** *iawn yn eu dydd.*
dibrofiad e.e. *Does dim amheuaeth ei bod yn ferch alluog ond mae'n gwbwl* ***ddibrofiad*** *yn y gwaith yma.*

newydd sbon cwbl newydd
o'r newydd ailddechrau mewn ffordd wahanol

Croesystyr: hen

niwed *hwn: enw* **(niweidiau)** e.e. *Mae Megan wedi cael **niwed** wrth chwarae hoci.*

anaf	dolur	drwg

difrod e.e. *Mae **difrod** wedi'i wneud i dŵr yr eglwys yn ystod y storm.*
cam *hwn* e.e. *Mae'r beic modur yma wedi cael **cam** ac mae'n pallu tanio.*

 ***Edrychwch hefyd dan*** **anaf; clefyd**

 Croesystyr: **gwellhad**

niwl *hwn: enw* **(niwloedd)** *Mae **niwl** trwchus yn ei gwneud hi'n anodd i weld.*

Mathau gwahanol o niwl:

ager *hwn* dŵr berwedig yn anweddu
anwedd *hwn* hylif yn troi'n nwy gweladwy
caddug *hwn* cwmwl trwchus (ar fynydd)
cwmwl *hwn* casgliad helaeth o ddafnau dŵr yn yr awyr (cwmwl o fwg)
mwrllwch:mygdarth *hwn* cymysgedd o niwl, mwg a llygredd trafnidiaeth sy'n nodweddiadol o rai dinasoedd (smog)
niwlen *hon* haen denau o niwl
nudden *hon* cwmwl tenau ysgafn (ar adeg o wres)
smwc *hwn* cymysgedd o niwl a glaw
tarth *hwn* niwl
tawch *hwn* cwmwl drewllyd
tes *hwn* niwl tywydd poeth iawn

 **yn y niwl** mewn penbleth llwyr, ar goll

noeth *ansoddair* e.e. *Mae brigau'r coed yn **noeth** yn y gaeaf.*

moel

llwm e.e. *Mae'r caeau'n **llwm** iawn yn y gaeaf.*
diaddurn e.e. ***Diaddurn** yw waliau'r ystafell hon.*
porcyn gair anffurfiol e.e. *Sawl person **porcyn** oedd ar y traeth heddiw?*
noethlymun gair ffurfiol iawn e.e. *Roedd y babi bach yn gorwedd yn **noethlymun** ar y mat.*

 **celwydd noeth** heb rithyn o wir

 ***Edrychwch hefyd dan*** **llwm**

a b c ch d dd e f ff g ng h i j l ll m n o p ph r rh s t th u w y

ochr *hon: enw* **(ochrau)** e.e. *Mae llinellau melyn ar* ***ochr*** *y ffordd yng nghanol y dref.*

ymyl | **min**

rhimyn *hwn* e.e. *Roedd ôl minlliw coch ar* ***rimyn*** *y gwydr.*
llethr *hwn* neu *hon* e.e. *Roedd* ***llethr*** *y mynydd yn serth dros ben.*
glan *hon* e.e. *Mae eglwys ar* ***lan*** *yr afon yng nghanol y dref.*

rhoi (rhywbeth) naill ochr gadael (rhywbeth) dros dro
o blaid ar ochr

Edrychwch hefyd dan **ffin; min**

oedi *berfenw* e.e. *Paid* ***oedi*** *gormod neu fe wnei di golli'r bws.*

aros

sefyllian e.e. *Paid* ***sefyllian*** *yn y glaw neu fyddi di'n gwlychu.*
loetran e.e. *Pam mae'r plant yn* ***loetran*** *o flaen y siop o hyd?*
llusgo traed e.e. *Pam mae'r plant yn* ***llusgo traed*** *wrth groesi'r ffordd?*

Croesystyr: **cyflymu**

oer *ansoddair* e.e. *Tywydd* ***oer*** *iawn gawson ni ar ddechrau mis Ionawr.*

gaeafol | **barugog**

rhewllyd e.e. *Mae'r tywydd* ***rhewllyd*** *yn troi fy nhrwyn yn goch.*
rhynllyd e.e. *Rydw i'n teimlo'n ddiflas ac yn* ***rhynllyd*** *yng nghanol yr eira.*
iasol e.e. *Roeddwn i'n teimlo rhywbeth* ***iasol*** *yn rhedeg lawr fy nghefn yn ystod y ffilm arswyd.*
oeraidd e.e. *Agwedd* ***oeraidd*** *oedd gan y plismon at y lleidr.*
oerllyd e.e. *Cawson ni groeso digon* ***oerllyd*** *gan y tîm arall.*
anghynnes e.e. *Mae rhywbeth eithaf* ***anghynnes*** *am y dyn dieithr yna.*

digon oer i sythu brain yn oer ofnadwy

Croesystyr: **cynnes**

a b c ch d dd e f ff g ng h i j l ll m n o p ph r rh s t th u w y

oeri *berfenw* e.e. *Mae blaen fy mysedd i'n **oeri** heb fenig.*

rhewi

barugo e.e. *Mae hi wedi **barugo** dros nos ac mae'r caeau i gyd yn wyn.*
llwydrewi e.e. *Maen nhw'n dweud y bydd hi'n **llwydrewi** heno.*
rhynnu e.e. *Rydw i'n dechrau **rhynnu** gan fod dŵr y pwll nofio mor oer.*
sythu e.e. *Mae fy nhraed i wedi **sythu** wrth gerdded yn yr eira.*
fferru e.e. *Mae fy nhraed i wedi **fferru** ar ôl i mi sefyll yn y dŵr oer.*

 Croesystyr: **cynhesu; poethi**

ofn *hwn: enw* e.e. *Mae straeon ysbryd yn codi **ofn** arna i.*

arswyd	braw	dychryn

 **rhag ofn** bod yn barod pe bai rhywbeth yn digwydd

ofnadwy *ansoddair* e.e. *Mae damwain **ofnadwy** wedi bod yn y dref.*

arswydus	brawychus	dychrynllyd	erchyll

hunllefus e.e. *Roedd y lluniau o'r drychineb ar y teledu yn **hunllefus**.*
echrydus e.e. *Mae golwg **echrydus** ar yr hen le wedi'r tân.*
affwysol e.e. *Roedd y ddrama yn **affwysol** o wael.*
trybeilig e.e. *Roedd pethau'n ddrwg **drybeilig** yn y gêm nos Fercher.*
sobor e.e. *Roedd chwarae'r tîm yn **sobor** o sâl ddydd Sadwrn.*
cythreulig e.e. *Tywydd **cythreulig** o oer sy'n achosi'r holl eira yma.*

 Croesystyr: **hyfryd; braf**

ofni *berfenw* e.e. *Rydw i'n **ofni** bod yr ateb yn anghywir.*

poeni	gofidio

arswydo e.e. *Mae Mam yn **arswydo** gweld faint o lanast sydd gen i yn fy ystafell wely.*
anesmwytho e.e. *Paid **anesmwytho**, dim ond ffilm arswyd yw hi.*

 **ofni cysgod** am rywun ofnus iawn
 **codi bwganod** codi ofn ar rywun

Croesystyr: **hyderu**

ôl *hwn: enw* **(olion)** e.e. *Mae* ***ôl*** *traed cwningen yn yr eira.*

effaith	**marc**

argraff *hon* e.e. *Dim ond* ***argraff*** *ambell lythyren sydd ar ôl ar y garreg fedd.*
trywydd *hwn* e.e. *Mae'r cŵn yn dilyn* ***trywydd*** *y cadno drwy'r goedwig.*
camre *hwn* e.e. *Dilyn* ***camre*** *ei thad drwy'r eira wnaeth Rhian.*

ar ei hôl hi yn hwyr
ar ôl wedi, yn dilyn

a b c ch d dd e f ff g ng h i j l ll m n o p ph r rh s t th u w y

P

padell *hon: enw* **(padellau:padelli)** e.e. *Does dim* ***padell*** *yn y sinc i olchi llestri heddiw.*

basn	dysgl	powlen

cawg *hon* e.e. *Roedd* ***cawg*** *aur yn un o'r trysorau roedd y môr-leidr wedi'i gladdu ar yr ynys unig.*

o'r badell ffrio i'r tân o ddrwg i waeth

pallu *berfenw*

1. ***dod i ben*** neu ***stopio*** e.e. *O'r diwedd mae'r sŵn wedi* ***pallu*** *ac mae popeth yn dawel.*

peidio	gorffen

stopio e.e. *Ydy'r glaw wedi* ***stopio*** *eto?*
darfod e.e. *Mae batri'r ffôn symudol wedi* ***darfod****.*
tewi e.e. *Diolch byth, mae sŵn sgrechian y dorf wedi* ***tewi****.*

rhoi'r gorau i stopio gwneud rhywbeth
ymatal rhag peidio gwneud rhywbeth

Edrychwch hefyd dan **gorffen**

2. ***gwrthod*** e.e. *Mae'r defaid styfnig yn* ***pallu*** *mynd i mewn i'r cae.*

gwrthod

Edrychwch hefyd dan **gwrthod**

Croesystyr: mynnu

para *berfenw* e.e. *Roedd y glaw trwm wedi* ***para*** *am fis.*

parhau

dal e.e. *Wyt ti'n* ***dal*** *i fynd i chwarae snwcer bob nos Wener?*
aros e.e. *Wyt ti'n meddwl y bydd hi'n* ***aros*** *yn sych tan ddiwedd y gêm?*
sefyll e.e. *Os wyt ti'n newid dy feddwl, mae'r cynnig yn* ***sefyll****.*
dal ati e.e. *Mae Mrs Lewis yn* ***dal ati*** *i redeg y Swyddfa Bost er ei bod hi'n saith deg oed.*

 Croesystyr: **peidio**

paratoi *berfenw* e.e. *Mae'n rhaid* ***paratoi*** *digon o fwyd ar gyfer y parti.*

darparu **trefnu**

cynllunio e.e. *Mae'n rhaid* ***cynllunio****'n drylwyr cyn mynd i hwylio.*
gweithio e.e. *Mae'n rhaid* ***gweithio****'n galed ar gyfer yr arholiad.*
bod yn barod e.e. *Mae'n rhaid* ***bod yn barod*** *ar gyfer y sioe erbyn saith o'r gloch.*
braenaru e.e. *Mae'n bwysig* ***braenaru****'r tir yn dda cyn hau'r hadau.*

patrwm *hwn: enw* **(patrymau)** e.e. *Rydw i'n hoffi'r* ***patrwm*** *hwn yn fawr.*

addurn **cynllun**

siâp *hwn* e.e. *Mae* ***siâp*** *hyfryd i'r ffrog hon.*
ffurf *hon* e.e. *Dyma deisen ben-blwydd ar* ***ffurf*** *car rasio.*
trefn *hon* e.e. *Wyt ti'n gallu gweld* ***trefn*** *arbennig i'r rhifau yn y pôs hwn?*
esiampl *hon* e.e. *Mae'n rhaid dilyn* ***esiampl*** *Asif.*
model *hwn* e.e. *Mae'n rhaid defnyddio gwaith Catrin fel* ***model****.*
ffasiwn *hon* e.e. *Ffrogiau tyn, byr yw'r* ***ffasiwn*** *eleni.*
lliw a llun *hwn* e.e. *Mae llestri o bob* ***lliw a llun*** *yn y siop.*

pecyn *hwn: enw* **(pecynnau)** e.e. *Mae'r* ***pecyn*** *bwyd yma'n llawn danteithion.*

cwdyn **parsel**

pac *hwn* e.e. *Mae'r asyn yn cario* ***pac*** *mawr o nwyddau ar ei gefn.*
swp *hwn* e.e. *Roedd gan y postmon* ***swp*** *o lythyrau i ni heddiw.*
bwndel *hwn* e.e. *Yng nghanol y* ***bwndel*** *o hen ddillad, roedd un wisg hynod.*

Edrychwch hefyd dan **pentwr**

pendant *ansoddair* e.e. *Mae angen ateb* ***pendant*** *i'r cwestiwn hwn.*

sicr	**eglur**	**clir**

penodol e.e. *Oes dyddiad* ***penodol*** *ar gyfer y carnifal yn y dref eleni?*
terfynol e.e. *Ydych chi wedi dod i gasgliad* ***terfynol*** *ar ôl gweld y ffilm?*
diamau e.e. *Yn* ***ddiamau****, fe fyddaf i yno gyda chi ar y diwrnod.*
argyhoeddedig e.e. *Rydw i'n* ***argyhoeddedig*** *bod y lladron wedi dianc drwy'r ffenestr.*
penderfynol e.e. *Roedd Aled yn* ***benderfynol*** *bod ei ateb yn gywir.*

Edrychwch hefyd dan **sicr**

Croesystyr: **amhendant; ansicr**

penderfynu *berfenw* e.e. *Mae'n rhaid* ***penderfynu*** *pa liw i beintio'r wal.*

dewis

barnu e.e. *Mae'r dyfarnwr wedi* ***barnu*** *bod y tîm yn haeddu cic gosb.*
pennu e.e. *Mae angen* ***pennu*** *amser i'r disgo heno.*
dyfarnu e.e. *Mae'r beirniad wedi* ***dyfarnu*** *mai Cai sy'n ennill y wobr.*

dod i'r casgliad dod i benderfyniad

pentwr *hwn: enw* **(pentyrrau)** e.e. *Mae* ***pentwr*** *o bapurau ar y llawr.*

llwyth

crugyn *hwn* e.e. *Mae* ***crugyn*** *o gardiau pen-blwydd wedi cyrraedd i ti.*
twmpath *hwn* e.e. *Mae'r llythyron i gyd yn un* ***twmpath*** *ar y bwrdd.*
tomen *hon* e.e. *Mae* ***tomen*** *o sbwriel gan Siôn yn barod i'w ailgylchu.*
twr *hwn* e.e. *Mae* ***twr*** *o hen gylchgronau ar ben y cwpwrdd.*
cruglwyth *hwn* e.e. *Edrych ar y* ***cruglwyth*** *o goed sydd yn y goelcerth.*
swp *hwn* e.e. *Roedd* ***swp*** *o lythyron gan y postmon i ni y bore 'ma.*

Edrychwch hefyd dan **pecyn**

perffaith *ansoddair* e.e. *Dyma dywydd* ***perffaith*** *ar gyfer picnic.*

delfrydol

di-nam e.e. *Mae'r hen feic yma fel newydd ac yn hollol* ***ddi-nam****.*
difrycheulyd e.e. *Roedd atebion Rhys yn yr arholiad yn* ***ddifrycheulyd****.*

di-fai e.e. *Er bod y gwaith yn dda, dyw e ddim yn **ddi-fai**.*
nefolaidd e.e. *Mae'r sinema yn lle **nefolaidd** i fynd ar brynhawn gwlyb.*
cywir e.e. *Mae atebion Marged i bob cwestiwn yn **gywir**.*
digyfnewid e.e. *Mae'r cerflun wedi aros yn **ddigyfnewid** ers ei godi.*

Edrychwch hefyd dan **pur**

 Croesystyr: **amherffaith; gwallus**

perfformio *berfenw* e.e. *Pwy sy'n **perfformio** yn y sioe heno?*

chwarae

Mathau arbennig o berfformio:

actio	perfformio drwy ddynwared
adrodd	perfformio drwy siarad
canu	perfformio ar gân
consurio	perfformio drwy wneud triciau
cyflwyno	perfformio drwy siarad
dawnsio	perfformio drwy symudiadau'r corff
llefaru	perfformio drwy siarad

 ***Edrychwch hefyd dan*** **actio**

perswadio *berfenw* e.e. *Mae'n rhaid **perswadio**'r plant i fod yn dawel.*

argyhoeddi

darbwyllo e.e. *Sut mae **darbwyllo** pawb i ailgylchu mwy?*
cymell e.e. *Mae pawb heddiw'n cael eu **cymell** i fwyta'n iach.*
hysio e.e. *Roedd y plant yn ceisio **hysio**'r ci i redeg ar ôl y defaid.*
pwyso ar e.e. *Mae Nain yn ceisio **pwyso ar** Taid i dorri'r lawnt.*
gwasgu ar e.e. *Mae Catrin yn gorfod **gwasgu ar** Pascal i ddod i'r parti.*
dwyn perswâd ar e.e. *Mae'n rhaid **dwyn perswâd ar** Elin i ganu.*

 ***Edrychwch hefyd dan*** **denu**

pert *ansoddair* e.e. *Mae gan fy chwaer fag* ***pert*** *sy'n denu llygad pawb.*

del	deniadol	hardd	tlws

lliwgar e.e. *Dyna ddillad* ***lliwgar*** *sydd gan yr actorion yn y sioe.*
atyniadol e.e. *Roedd llun* ***atyniadol*** *o'r pentref ar y wefan.*

Edrychwch hefyd dan **hardd**

Croesystyr: **hyll; salw; diolwg**

peryglus *ansoddair* e.e. *Gall chwarae â thân fod yn* ***beryglus****.*

niweidiol	dinistriol

enbyd e.e. *Cafodd y beicwyr daith* ***enbyd*** *ar hyd y trac troellog.*
anniogel e.e. *Gofyn am drwbwl yw dringo'r hen risiau pren* ***anniogel*** *yma.*
dansierus (wrth siarad) e.e. *Chwaraewr rygbi* ***dansierus*** *yw Wil.*

perygl bywyd am rywbeth peryglus iawn

Croesystyr: **diogel; saff**

pigo *berfenw*

1. ***anafu neu wneud dolur*** e.e. *Mae rhywbeth yn* ***pigo*** *fy nghoes i.*

brathu	cnoi

pricio e.e. *Oes rhywbeth wedi* ***pricio*** *boch Cadi?*
llosgi e.e. *Mae'r danadl poethion yma'n* ***llosgi*** *fy nghroen i.*

Croesystyr: **lleddfu**

2. ***dewis a dethol*** e.e. *Maen nhw ar fin* ***pigo*** *enillydd y gystadleuaeth.*

dewis

pigo bwrw yn dechrau bwrw glaw

Edrychwch hefyd dan **dewis**

pigog *ansoddair* e.e. *Bydd yn ofalus o fachau **pigog** y weiren yna.*

miniog

brathog e.e. *Mae sylwadau Dewi ar y pwnc yn **frathog** iawn.*
danheddog e.e. *Dail **danheddog** sydd gan y goeden gelyn.*
llym e.e. *Roedd geiriau'r beirniad yn **llym** dros ben.*
pigfain e.e. *Gall blew bach **pigfain** danadl poethion achosi pothelli.*
beirniadol e.e. *Mae gan Anwen sylw **beirniadol** am fwyd Mam o hyd.*

Edrychwch hefyd dan **miniog**

Croesystyr: **esmwyth; llyfn**

plaen *ansoddair*

1. ***llwm neu ddigyffro*** e.e. *Digon **plaen** a diflas yw wal gefn y neuadd.*

moel

diaddurn e.e. *Mae hon yn hen ystafell **ddiaddurn** dros ben.*
cyffredin e.e. *Golwg ddigon **cyffredin** oedd ar y lle.*
syml e.e. *Mae hwn yn gynllun **syml** ond effeithiol.*

Croesystyr: **addurniedig**

2. ***amlwg*** e.e. *Roedd y peth mor **blaen** â'r dydd.*

amlwg	clir	eglur

di-flewyn ar dafod ffordd o ddweud rhywbeth yn blaen a phendant

Croesystyr: **aneglur; tywyll**

pleser *hwn: enw* **(pleserau)** e.e. ***Pleser** yw cael mynd ar wyliau i lan y môr yn ystod yr haf.*

hwyl	sbri

hyfrydwch *hwn* e.e. ***Hyfrydwch** yw bwyta cacen siocled i de.*
blas *hwn* e.e. *Mae Sara wedi cael **blas** arbennig ar wrando ar y côr.*
mwynhad *hwn* e.e. ***Mwynhad**, nid gwaith, fydd y daith i Gaerdydd.*
sbort *hwn* neu *hon* e.e. *Cafodd pawb **sbort** yn y ffair nos Wener.*
boddhad *hwn* e.e. *Mae Beca'n cael **boddhad** wrth fwyta creision.*

 **pleser o'r mwyaf** ffordd ffurfiol o gyflwyno rhywun yn gyhoeddus

 Croesystyr: **diflastod**

plethu *berfenw* e.e. *Mae Mared wedi* ***plethu*** *ei gwallt yn dwt.*

clymu

gwau e.e. *Mae'r bardd yn medru* ***gwau*** *geiriau er mwyn creu cerdd.*
dolennu e.e. *Mae'n rhaid* ***dolennu****'r gwlân yn dynn er mwyn creu patrwm.*

 **plethu dwylo** croesi braich ym mraich

 ***Edrychwch hefyd dan*** **clymu; uno**

 Croesystyr: **datod; datglymu**

poenus *ansoddair* e.e. *Peth* ***poenus*** *iawn yw brech yr ieir.*

tost

tyner e.e. *Mae'r clais ar fy nghoes yn eithaf* ***tyner****.*
gwneud dolur e.e. *Mae'r man lle cafodd Marc ei gnoi gan gi drws nesaf yn* ***gwneud dolur*** *o hyd.*
yn brifo e.e. *Ydy dy lygad* ***yn brifo*** *o hyd wedi'r ddamwain?*
dirdynnol e.e. *Roedd gweld lluniau'r plant amddifad yn brofiad* ***dirdynnol****.*
arteithiol e.e. *Profiad* ***arteithiol*** *oedd dringo i gopa Everest.*
llidus e.e. *Mae'r clwyf yna'n edrych yn* ***llidus*** *iawn.*

 Croesystyr: **di-boen; esmwyth**

poeth *ansoddair* e.e. *Mae digon o ddŵr* ***poeth*** *yn y tegell i ni gael te.*

berwedig	cynnes	twym

chwilboeth e.e. *Roedd y bara'n* ***chwilboeth*** *wrth ddod allan o'r ffwrn.*
eirias e.e. *Mae'r ffwrn yn* ***eirias*** *erbyn hyn.*
tanbaid e.e. *Roedd y ddadl rhwng y ddau wedi troi'n eithaf* ***tanbaid****.*

Croesystyr: **oer**

prin *ansoddair* e.e. *Mae gweld ysgyfarnog yn ddigwyddiad* ***prin*** *erbyn hyn.*

anghyffredin **anarferol**

anaml e.e. ***Anaml*** *iawn y mae Gwern yn colli'r ysgol.*
tenau e.e. ***Tenau*** *yw'r gwallt ar ben Dad-cu!*
ychydig e.e. ***Ychydig*** *oedd y dorf yn y gêm brynhawn Sadwrn.*
annigonol e.e. *Mae bwyd yr anifeiliaid yn* ***annigonol*** *wedi'r holl eira.*

cael yn brin cael rhywbeth yn bod ar rywbeth, neu yn eisiau

Croesystyr: **cyffredin**

prinder *hwn: enw* **(prinderau)** e.e. *Mae* ***prinder*** *dŵr yn achosi sychder.*

angen

diffyg *hwn* e.e. *Does dim* ***diffyg*** *bwyd yn y caffi.*
absenoldeb *hwn* e.e. *Mae* ***absenoldeb*** *bwyd yn achosi newyn.*

Croesystyr: **gormodedd; digonedd**

problem *hon: enw* **(problemau)** e.e. *Rydw i'n cael* ***problem*** *gyda fy ngwaith cartref.*

anhawster **trafferth**

helynt *hwn* e.e. *Mae rhyw* ***helynt*** *yn y parc heno.*
penbleth *hwn* e.e. *Mae cael gormod o chwaraewyr da yn achosi* ***penbleth*** *i hyfforddwr y tîm.*
cymhlethdod *hwn* e.e. *Mae* ***cymhlethdod*** *wedi codi ynglŷn â'r daith.*

drwg yn y caws mae problem, mae rhywbeth o'i le yma
dim problem mae popeth yn iawn

Edrychwch hefyd dan **helynt; trafferth**

proffwydo *berfenw* e.e. *Mae dyn y tywydd yn* ***proffwydo*** *stormydd mawr dros y penwythnos.*

addo

dweud e.e. *Maen nhw'n* ***dweud*** *mai actores enwog fydd yn agor yr ŵyl.*

darogan e.e. *Mae Elin yn* ***darogan*** *mai cawl fydd i ginio heddiw.*
rhag-weld e.e. *Mae Gwyn yn* ***rhag-weld*** *y bydd pris petrol yn codi eto.*
rhag-ddweud e.e. *Pwy sy'n gallu* ***rhag-ddweud*** *beth fydd wedi digwydd erbyn yr amser yma y flwyddyn nesaf?*

 ***Edrychwch hefyd dan*** **addo**

prysur *ansoddair* e.e. *Does neb yn fwy* ***prysur*** *yn y gegin na Mari Huws.*

gweithgar

diwyd e.e. *Bachgen* ***diwyd*** *iawn yw Guto sydd bob amser yn barod i helpu.*
dyfal e.e. *Rhai* ***dyfal*** *iawn yw'r gwenyn acw'n casglu paill o'r blodau.*

fel lladd nadroedd dal ati i wneud rhywbeth
fel ffair yn llawn prysurdeb

 Croesystyr: **segur**

pur *ansoddair* e.e. *Dŵr* ***pur*** *sy'n dod o'r ffynnon.*

glân

coeth e.e. *Mae aur* ***coeth*** *i'w gael ym mwynglawdd Clogau.*
pêr e.e. *Mae gan Manon lais* ***pêr*** *iawn.*
di-fai e.e. *Mae blas* ***di-fai*** *ar y dŵr yma.*
difrycheulyd e.e. *Mae carped o eira* ***difrycheulyd*** *dros y caeau i gyd.*
anllygredig e.e. *Mae dŵr yr afon yn lân ac yn* ***anllygredig****.*
dilychwin e.e. *Cymraeg glân,* ***dilychwin****, sydd gan yr awdur.*

pur dda eithaf da
pur ddrwg eithaf drwg
yn bur cyfarchiad ar ddiwedd llythyr; 'yn ddiffuant'

 ***Edrychwch hefyd dan*** **perffaith**

 Croesystyr: **brwnt; budr**

pwdr *ansoddair* e.e. *Paid â bwyta'r afal* ***pwdr*** *yna!*

drwg

llwgr e.e. *Dyn* ***llwgr*** *iawn sydd wedi twyllo dyn y siop.*

a b c ch d dd e f ff g ng h i j l ll m n o p ph r rh s t th u w y

clwc gair wrth siarad yn bennaf e.e. *Wyt ti'n siŵr mai wyau ffres ac nid wyau **clwc** yw'r rhain?*

 ***Edrychwch hefyd dan*** **diog**

 **Croesystyr: iach**

pwdu *berfenw* e.e. *Mae Gwion wedi **pwdu** eto ac yn dewis chwarae ar ei ben ei hun.*

digio

sorri e.e. *Mae Rhian wedi **sorri**'n bwt am fod Jac wedi mynd â'i sedd.*
monni e.e. *Mae Ffion wedi **monni** am na chafodd jeli i de.*
llyncu mul e.e. *Mae Cai wedi **llyncu mul** am na chafodd ei wahodd i'r parti.*
gweld yn chwith e.e. *Mae Catrin yn **gweld yn chwith** am rywbeth o hyd.*

 **Croesystyr: sirioli; llonni**

pwnc *hwn: enw* **(pynciau)** e.e. *Mae sawl **pwnc** newydd ar amserlen yr ysgol eleni.*

testun

mater *hwn* e.e. *Mae'n bwysig ein bod yn trafod y **mater** hwn.*
thema *hon* e.e. ***Thema**'r carnifal eleni yw 'Teithio'r Byd'.*
cwestiwn *hwn* e.e. *Y **cwestiwn** i'w drafod yw 'Ydy ailgylchu'n syniad da?'*

 **pwnc llosg** testun y mae cryn anghytuno yn ei gylch

pwyntio *berfenw* e.e. *Mae'r arwydd acw'n **pwyntio** at y tai bach.*

cyfeirio

arwyddo e.e. *Mae'r postyn yma'n **arwyddo**'r ffordd tuag at Dregaron.*
dangos e.e. *Fyddech chi cystal â **dangos** y ffordd i ganol y pentref?*
anelu e.e. *Ydy'r bachgen acw'n **anelu** ei ddwrn ataf i?*
estyn e.e. *Mae'r plismon yn **estyn** bys tuag at y lleidr.*
dynodi e.e. *Mae'r arwydd yna yn **dynodi**'r ffordd i gopa'r mynydd.*

 **pwyntio bys** cyhuddo rhywun

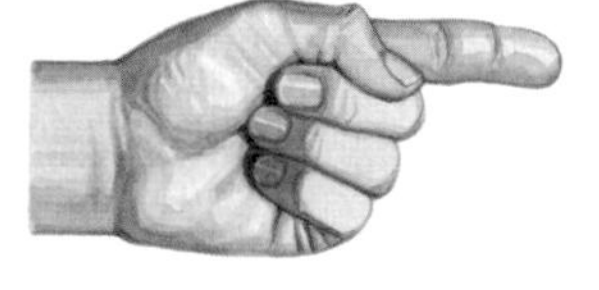

 ***Edrychwch hefyd dan*** **dangos**

pwysig *ansoddair* e.e. *Mae hwn yn fater* ***pwysig*** *sydd angen ei drafod.*

allweddol

awdurdodol e.e. *Mae'r plismon yn edrych yn* ***awdurdodol*** *yn ei iwnifform.*
dylanwadol e.e. *Dyn* ***dylanwadol*** *iawn yw'r Maer.*
arwyddocaol e.e. *Mae hwn yn ddigwyddiad* ***arwyddocaol*** *yn ein hanes.*
hanfodol e.e. *Mae'n* ***hanfodol*** *dy fod ti'n llwyddo yn y prawf.*
sylfaenol e.e. *Mae'r ffaith hon yn* ***sylfaenol*** *i'r ddadl ynglŷn â hela.*
angenrheidiol e.e. *Mae'n* ***angenrheidiol*** *fod pawb yn canu mewn tiwn.*
canolog e.e. *Mae'r llun yn* ***ganolog*** *i'r casgliad.*

o bwys rhywbeth pwysig

Edrychwch hefyd dan **enwog**

Croesystyr: **dibwys; ffwrdd â hi**

pydru *berfenw* e.e. *Mae'r ffrwythau'n* ***pydru*** *yn y cwpwrdd.*

troi'n ddrwg

rhydu e.e. *Mae llawr y car bron wedi* ***rhydu*** *drwyddo.*
chwalu e.e. *Mae'r pren yn dechrau* ***chwalu*** *yn y gwynt a'r glaw.*

pydru arni cadw ati mewn ffordd weithgar

rebel *hwn: enw* e.e. *Mae* ***rebel*** *bob amser yn codi llais mewn protest.*

Enwau am fathau arbennig o rebel:

protestiwr un sy'n protestio
penboethyn un sy'n chwyrn ei farn
gwrthryfelwr un sy'n ceisio newid y drefn
chwyldröwr un sy'n ceisio newid trefn pethau'n gyfan gwbl

Rh

rhad *ansoddair* e.e. *Mae dillad digon **rhad** ar werth yn y siop elusen.*

rhesymol

gostyngedig e.e. *Mae dillad ar werth am bris **gostyngedig** adeg sêl.*

yn rhad ac am ddim heb gostio dim arian

Croesystyr: **drud; costus**

rhannu *berfenw* e.e. *Mae'n rhaid **rhannu**'r gacen yn gyfartal rhwng pawb.*

torri

gwahanu e.e. *Mae'n rhaid **gwahanu**'r defaid a'r ŵyn cyn eu cneifio.*
chwalu e.e. *Mae'r ffrae rhwng y ddau frawd wedi **chwalu**'r teulu.*
hollti e.e. *Edrychwch ar Glyn yn **hollti**'r boncyff â'i fwyell.*
dosbarthu e.e. *Mae'r anrhegion wedi eu **dosbarthu** rhwng y plant i gyd.*
didoli e.e. *Mae angen **didoli**'r llyfrau rhwng plant y dosbarth.*
fforchio e.e. *Mae'r llwybr yn **fforchio**'n ddau ar waelod y cwm.*

Edrychwch hefyd dan **rhwygo**

Croesystyr: **uno**

rhedeg *berfenw* e.e. *Mae saith ceffyl yn **rhedeg** yma heddiw.*

rasio

trotian e.e. *Mae'r ebol yn **trotian** y tu ôl i'r gaseg yn y cae.*
carlamu e.e. *Edrych ar y ceffyl yn **carlamu** nerth ei draed ar hyd y llwybr.*
llifo e.e. *Mae dwy afon yn **llifo** heibio i'r castell.*

rhedeg nerth traed rhedeg yn gyflym iawn
nid ar redeg y mae aredig mae rhai pethau nad oes modd eu gwneud nhw ar frys; rhaid cymryd pwyll

Croesystyr: **aros; sefyll yn stond**

a
b
c
ch
d
dd
e
f
ff
g
ng
h
i
j
l
ll
m
n
o
p
ph
r
rh
s
t
th
u
w
y

rheol *hon: enw* **(rheolau)** e.e. *Sawl* ***rheol*** *wyt ti wedi'i thorri heddiw?*

gorchymyn	**deddf**	**cyfraith**

trefn *hon* e.e. *Dyna'r* ***drefn*** *y mae pawb yn ei dilyn wrth yrru.*

fel rheol fel arfer

rhes *hon: enw* **(rhesi; rhesau)** e.e. *Un* ***rhes*** *hir o dai yw'r pentref hwn.*

llinell

rheng *hon* e.e. *Mae'r bachwr yn chwarae yn* ***rheng*** *flaen y sgrym.*
rhych *hwn* neu *hon* e.e. *Mae dy* ***rych*** *datws yn igam-ogam fel coes ci.*
cyfres *hon* e.e. *Mae* ***cyfres*** *o luniau hardd ar y wal.*
rhibidirês *hon* e.e. *Mae'r teganau i gyd wedi'u gadael yn un* ***rhibidirês*** *ar hyd y llawr.*

rheswm *hwn: enw* **(rhesymau)** e.e. *Oes* ***rheswm*** *pam dy fod ti'n hwyr i'r ysgol heddiw?*

esboniad

pwrpas *hwn* e.e. *Oes* ***pwrpas*** *dros gael yr holl faneri yma dros y lle heddiw?*
diben *hwn* e.e. *Does dim* ***diben*** *chwarae y tu allan yn y glaw.*
sail *hon* e.e. *Does dim* ***sail*** *i'r ddadl hon o gwbl.*
cyfiawnhad *hwn* e.e. *Oes* ***cyfiawnhâd*** *dros gael cymaint o esgidiau?*
achos *hwn* e.e. *Beth yw'r* ***achos*** *pam dy fod ti'n hwyr heddiw eto?*

tu hwnt i bob rheswm cwbl afresymol
wrth reswm wrth gwrs

Croesystyr: **direswm**

rhiw *hon: enw* **(rhiwiau)** e.e. *Mae'n rhaid dringo* ***rhiw*** *serth i gyrraedd y tŷ.*

gallt	**allt**

tyle *hwn* e.e. *Mae'n anodd reidio beic i fyny'r* ***tyle*** *i ben y bryn.*
llechwedd *hwn* e.e. *Mae* ***llechwedd*** *serth yng nghanol y pentref.*
gwaered *hwn* e.e. *Mae'n hawdd cerdded i lawr y* ***gwaered*** *i waelod y cwm.*

Croesystyr: **gwastadedd**

rhoi *berfenw* e.e. *Mae'n rhaid* ***rhoi****'r llyfrau yn ôl ar y silff ar ôl eu darllen.*

gosod

cyflwyno e.e. *Mae maer y dref wedi* ***cyflwyno*** *siec o £3,000 i'r ysbyty lleol.*
cyfrannu e.e. *Mae Alun wedi* ***cyfrannu*** *llawer o arian at achosion da.*
talu e.e. *Mae'n rhaid* ***talu*** *pum punt am gwpanaid o goffi yn y gwesty.*
traddodi e.e. *Arlywydd Ffrainc oedd yn* ***traddodi****'r ddarlith eleni.*

rhoi bys ar rywbeth gwybod yn union beth sy'n bod
rhoi'r ffidl yn y to rhoi'r gorau i wneud rhywbeth
rhoi bonclust i rywun taro rhywun yn ei glust/chlust

 Croesystyr: **derbyn**

rhwbio *berfenw* e.e. *Mae'n rhaid* ***rhwbio****'r baw oddi ar dy feic.*

sgrwbio

sgwrio e.e. *Mae'n rhaid* ***sgwrio****'r bwced â brws metel nes ei fod yn gwbl lân.*
gloywi e.e. *Mae angen* ***gloywi****'r ffenestri â dŵr a finegr.*
sgleinio e.e. *Mae'n gas gen i* ***sgleinio*** *fy esgidiau'n lân cyn mynd i'r ysgol.*
rhwto (yn y De wrth siarad) e.e. *Mae esgidiau Marc yn rhy dynn ac yn* ***rhwto*** *ei sawdl.*

rhwygo *berfenw* e.e. *Mae'n gas gan Elin sŵn papur yn* ***rhwygo****.*

torri

llarpio e.e. *Mae'r llew yn* ***llarpio*** *corff y carw'n ddarnau.*
hollti e.e. *Fe wnaeth y fellten daro'r goeden a'i* ***hollti****'n ddwy.*
tynnu'n ddarnau e.e. *Mae'r ci bach wedi dwyn clustog a'i* ***dynnu'n ddarnau****.*
tynnu'n dipiau e.e. *Mae'r gath fach wedi bod yn chwarae â'r llenni ac wedi eu* ***tynnu'n dipiau****.*
rhacsan (yn y De wrth siarad) e.e. *Rydw i wedi* ***rhacsan*** *fy nghrys ar y wifren bigog.*

 *Edrychwch hefyd dan* rhannu

 Croesystyr: **trwsio**

rhybuddio *berfenw* e.e. *Mae'r ffermwr wedi* ***rhybuddio*** *pawb fod tarw cas yn y cae.*

atgoffa	dweud wrth	cynghori

siarsio e.e. *Mae'r athrawes wedi* ***siarsio****'r plant i beidio â chadw sŵn.*

rhyfedd *ansoddair* e.e. *Mae'r plismon yn siŵr ei fod wedi gweld rhywbeth* ***rhyfedd*** *yn yr awyr neithiwr.*

od	anarferol	anghyffredin

hynod e.e. *Cymeriad* ***hynod*** *o ardal Tregaron oedd Twm Siôn Cati.*

 ***Edrychwch hefyd dan*** **hynod**

 Croesystyr: **cyffredin; arferol**

S

safon *hon: enw* **(safonau)** e.e. *Mae hwn yn waith o* ***safon*** *uchel.*

ansawdd

lefel *hon* e.e. *Mae llawer o blant wedi cyrraedd y* ***lefel*** *uchaf.*
cyflwr *hwn* e.e. *Mae* ***cyflwr*** *y cae yn arw ac yn annerbyniol.*

 **maen prawf** ffordd o fesur safon

sail *hon: enw* **(seiliau)** e.e. *Mae* ***sail*** *gadarn i'r adeilad hwn.*

sylfaen

rheswm *hwn* e.e. *Beth yw'r* ***rheswm*** *dros y penderfyniad?*
bôn *hwn* e.e. *Mae* ***bôn*** *cryf i'r goeden ar ganol y cae.*
gwraidd *hwn* e.e. *Esgidiau newydd yw* ***gwraidd*** *y cweryl rhwng y ddau.*
gwirionedd *hwn* e.e. *Does dim* ***gwirionedd*** *i'r stori am y lladrad.*

 Croesystyr: **di-sail**

sarhau *berfenw* e.e. *Mae'n bwysig parchu pawb a pheidio* ***sarhau*** *neb.*

dirmygu

difrïo e.e. *Roedd cefnogwyr y ddau dîm yn* ***difrïo*** *ei gilydd drwy'r gêm.*
dilorni e.e. *Mae'r bachgen yn* ***dilorni*** *gwaith yr arlunydd enwog.*
pardduo e.e. *Mae'n rhaid peidio* ***pardduo*** *enw da yr awdur.*
bychanu e.e. *Mae Osian yn* ***bychanu*** *ei chwaer o hyd.*
gwatwar e.e. *Mae'r dorf yn* ***gwatwar*** *y chwaraewyr am chwarae'n wael.*
gwawdio e.e. *Pwy sy'n* ***gwawdio****'r Pennaeth heddiw eto?*

 **bwrw sen ar rywun** sarhau rhywun
galw enwau ar rywun sarhau rhywun

 Croesystyr: **canmol; clodfori**

sbâr *ansoddair* e.e. *Oes seddau **sbâr** ar y trên i Lundain?*

gwag

wrth gefn yn sbâr
dros ben yn sbâr

Croesystyr: **prin**

sbwriel *hwn: enw* e.e. *Mae llawer o **sbwriel** ar gornel y stryd.*

gwastraff

sothach *hwn* e.e. *Pwy sy'n ysgrifennu'r **sothach** yma?*
rwtsh *hwn* e.e. *Mae Gethin yn siarad **rwtsh**, fel arfer.*
ffrwcs hyn e.e. *Mae'n bryd i ni gasglu'r holl **ffrwcs** o'r ardd cyn yr haf.*
geriach hyn e.e. *Mae llawer o hen **geriach** yn y garej.*

Croesystyr: **trysor**

seimllyd *ansoddair* e.e. *Mae'r sglodion yma'n **seimllyd** iawn.*

brasterog

llithrig e.e. *Mae llawr y gegin yn **llithrig** am fod bwyd wedi disgyn arno.*
llysnafeddog e.e. *Mae croen **llysnafeddog** gan y llysywen.*

Croesystyr: **sych**

sensitif *ansoddair* e.e. *Paid tynnu coes Dylan am ei fod yn fachgen **sensitif**.*

teimladwy

croendenau e.e. *Mae'n rhaid i ti beidio bod mor **groendenau**!*
tyner e.e. *Mae croen Cai yn **dyner** ar ôl bod allan yn yr haul.*

teimlo i'r byw yn sensitif iawn
anodd ei drin angen triniaeth ofalus

Croesystyr: **dideimlad**

serchog *ansoddair* e.e. *Mae gwên* ***serchog*** *ar wyneb Megan o hyd.*

cyfeillgar

croesawgar e.e. *Mae perchennog y caffi bob amser yn* ***groesawgar*** *dros ben.*
hoffus e.e. *Mae plant bach annwyl a* ***hoffus*** *yn y Cylch Meithrin.*
rhadlon e.e. *Hen ŵr* ***rhadlon*** *yw Mr Jones sy'n ffrind i bawb.*
hynaws e.e. *Mae Martha'n wraig* ***hynaws*** *iawn bob amser.*
clên e.e. *Un* ***clên*** *iawn yw gyrrwr y bws.*
annwyl e.e. *Dynes* ***annwyl*** *a charedig yw Beti Huws.*
cymdogol e.e. *Mae pawb mor* ***gymdogol*** *yn y pentref hwn.*

Edrychwch hefyd dan **caredig**

Croesystyr: **pigog; siarp**

seremoni *hon: enw* **(seremonïau)** e.e. *Roedd tyrfa fawr wedi dod i* ***seremoni*** *grand yn neuadd y dref heddiw.*

digwyddiad **cyfarfod**

defod *hon* e.e. ***Defod*** *hen iawn yw cadeirio'r bardd yn yr eisteddfod.*
gwasanaeth *hwn* e.e. *Mae* ***gwasanaeth*** *arbennig yn dilyn y cyngerdd.*

Mathau arbennig o seremonïau:

arwisgiad *hwn* enw ar y seremoni o urddo mab hynaf y Brenin neu Frenhines yn Dywysog Cymru

coroni *hwn* enw ar seremoni pan fydd rhywun yn derbyn coron

priodas *hon* enw ar seremoni pan fydd dau berson yn priodi

bedydd *hwn* enw ar seremoni bedyddio

angladd *hwn* neu *hon* enw ar seremoni yn dilyn marwolaeth person

Edrychwch hefyd dan **gwasanaeth**

sgwrsio *berfenw* e.e. *Does dim yn well na* ***sgwrsio*** *gyda ffrindiau.*

siarad	**clebran**

cloncian e.e. *Mae'r ddwy wraig wrthi eto yn* ***cloncian*** *fel pwll y môr.*
ymgomio e.e. *Braf yw cael* ***ymgomio*** *a hel clecs gydag ambell ffrind.*
trafod e.e. *Mae'n bosibl clywed y plant yn* ***trafod*** *ymhlith ei gilydd.*

 ***Edrychwch hefyd dan*** **dweud**

 Croesystyr: **distewi**

sibrwd *berfenw* e.e. *Mae hi wedi* ***sibrwd*** *rhywbeth yn fy nghlust.*

siffrwd	**sisial**

mwmial e.e. *Mae arweinydd y côr yn* ***mwmial*** *geiriau'r caneuon i gyd.*

sicr *ansoddair* e.e. *Wyt ti'n hollol* ***sicr*** *mai dyna'r ateb?*

siŵr

pendant e.e. *Yn* ***bendant****, mae Abertawe yn well tîm na Chaerdydd.*
anorfod e.e. *Mae camgymeriadau'n* ***anorfod*** *o ddigwydd ar y dechrau.*
cadarn e.e. *Mae'n dweud pethau od ond mae ei syniadau'n rhai* ***cadarn****.*
pendifaddau e.e. *Yn* ***bendifaddau****, Cymru yw'r tîm gorau.*

 ***Edrychwch hefyd dan*** **diogel; pendant**

 Croesystyr: **ansicr**

siglo *berfenw* e.e. *Roedd waliau'r tŷ'n* ***siglo*** *yn ystod y daeargryn.*

crynu	**ysgwyd**

dirgrynu e.e. *Roedd y dresel yn* ***dirgrynu*** *wrth i'r lorri yrru heibio'r tŷ.*
chwifio e.e. *Mae'r baneri'n* ***chwifio*** *yn y gwynt.*
pendilio e.e. *Mae'r goeden yn* ***pendilio*** *o un ochr i'r llall yn y storm.*

 **rhoi ysgytwad** siglo drwy ergydio rhywun neu rywbeth, neu o ganlyniad i dderbyn newyddion drwg

Edrychwch hefyd dan **ysgwyd**

sioc *hwn:* *enw* **(siociau)** e.e. *Cafodd pawb* ***sioc*** *o glywed y newyddion erchyll am y ddamwain.*

syndod	braw

rhyfeddod *hwn* e.e. ***Rhyfeddod*** *oedd ymateb y plant o glywed y stori ysbryd.*
ysgytwad *hwn* e.e. *Mae Gareth wedi cael* ***ysgytwad*** *yn y ddamwain.*
ergyd *hwn* e.e. *Roedd colli'r gêm yn* ***ergyd*** *i'r tîm.*
gwefr *hwn neu hon* e.e. *Dioddefodd* ***wefr*** *drydanol ar ôl cyffwrdd â'r wifren fyw.*

siomedig *ansoddair* e.e. *Roedd Alun yn* ***siomedig*** *ar ôl colli'r ras.*

trist

digalon e.e. *Roedd fy chwaer yn* ***ddigalon*** *ar ôl colli'r trên.*
penisel e.e. *Roedd fy mrawd yn eithaf* ***penisel*** *ar ôl colli'r gêm.*
anfodlon e.e. *Rydw i'n* ***anfodlon*** *iawn nad oes cawl i swper heno.*

cael siom ar yr ochr orau pethau'n troi allan yn well na'r disgwyl

Croesystyr: **bodlon**

sionc *ansoddair* e.e. *Mae Mam-gu yn naw deg oed ond yn* ***sionc*** *o hyd.*

heini

chwim e.e. *Merch* ***chwim*** *iawn yw Elen sy'n rhedeg i rywle o hyd.*
ystwyth e.e. *Rydw i'n teimlo'n llawer mwy* ***ystwyth*** *wedi'r holl ymarfer corff.*
ysgafndroed e.e. *Mae'r dawnswyr i gyd yn symud yn* ***ysgafndroed****.*
hyblyg e.e. *Mae angen bod yn* ***hyblyg*** *iawn i wneud gymnasteg.*

Croesystyr: **anystwyth**

solet *ansoddair* e.e. *Mae'r menyn wedi rhewi'n* ***solet*** *yn y rhewgell.*

caled

cadarn e.e. *Mae mur* ***cadarn*** *o gwmpas yr harbwr.*
cryf e.e. *Mae'r gefnogaeth i'r tîm yn* ***gryf*** *iawn.*
nerthol e.e. *Mae rheng flaen* ***nerthol*** *gan ein tîm rygbi ni.*
grymus e.e. *Mae gôl-geidwad mawr* ***grymus*** *gan y tîm arall.*
pur e.e. *Roedd y tlws yn aur* ***pur*** *drwyddo.*
anhyblyg e.e. *Mae gan y llyfr glawr caled sy'n gwbl* ***anhyblyg****.*

a b c ch d dd e f ff g ng h i j l ll m n o p ph r rh s t th u w y

 **person solet a dibynadwy** rhywun y gallwch chi ymddiried ynddo

 ***Edrychwch hefyd dan*** **cadarn**

 Croesystyr: **gwan; meddal**

storm *hon: enw* **stormydd**

Enghreifftiau o stormydd:

drycin *hon*
rhyferthwy *hwn*
tywydd mawr *hwn*
seiclon *hwn*
tymestl *hon*
corwynt *hwn*

 Croesystyr: **tywydd teg**

sur *ansoddair*

1. ***am flas*** e.e. *Dydw i ddim yn hoffi blas* ***sur*** *finegr.*

chwerw	siarp

egr e.e. *Mae blas* ***egr*** *ar y darten lemwn yma.*
asidaidd e.e. *Mae'r sudd yma'n rhy* ***asidaidd*** *at fy nant i.*

2. ***am bobl*** e.e. *Hen wraig* ***sur*** *a llym ei thafod yw Martha Morris.*

chwerw

sarrug e.e. *Doedd dim angen ateb mor* ***sarrug*** *i gwestiwn mor ddiniwed.*
trwynsur e.e. *Gŵr* ***trwynsur*** *yw Gwern ers iddo ddioddef anaf cas.*
piwis e.e. *Paid â chymryd dim sylw ohono, hen ddyn* ***piwis*** *yw e!*
surbwch e.e. *Roedd golwg* ***surbwch*** *ar Lois pan glywodd hi'r newyddion drwg.*

 Croesystyr: **melys**

swil *ansoddair* e.e. *Mae Jamil yn fachgen* ***swil*** *sy'n ofni ei gysgod ei hun.*

nerfus

ofnus e.e. *Paid â bod mor* ***ofnus*** *gan nad yw'r ci yma'n cnoi.*
petrus e.e. *Roedd yr athro'n edrych yn ddigon* ***petrus*** *ar y llwyfan heddiw.*
gwylaidd e.e. *Er ei bod yn actores enwog mae hi'n eithaf* ***gwylaidd****.*
diymhongar e.e. *Dyn tawel a* ***diymhongar*** *iawn yw awdur y llyfrau.*

 Croesystyr: **beiddgar**

swnllyd *ansoddair* e.e. *Mae'r gerddoriaeth yn rhy* ***swnllyd*** *o lawer!*

uchel

stwrllyd e.e. *Mae teulu* ***stwrllyd*** *iawn yn byw yn y tŷ newydd.*
byddarol e.e. *Roedd sgrechiadau'r dorf yn ystod y gêm yn* ***fyddarol****.*
croch e.e. *Mae gweiddi* ***croch*** *y plant yn y parc i'w glywed yn glir.*
siaradus e.e. *Merch* ***siaradus*** *iawn yw Mari sy'n methu â chadw'n dawel.*
llafar e.e. *Bachgen* ***llafar*** *iawn yw Glyn sy'n siarad o fore gwyn tan nos.*

 **cadw stŵr** bod yn swnllyd

 Croesystyr: **tawel**

sych *ansoddair* e.e. *Mae hwn yn dir* ***sych*** *dros ben.*

cras

crimp e.e. *Mae'r dillad wedi bod allan yn yr haul nes eu bod yn* ***grimp****.*
crin e.e. *Mae llawer o ddail* ***crin*** *ger y drws cefn yn yr hydref.*
hesb e.e. *Mae'r ffynnon yn* ***hesb*** *ers dechrau'r haf oherwydd y tywydd sych.*
caled e.e. *Mae'r bara yma'n hen ac yn rhy* ***galed*** *i'w fwyta.*

 *Edrychwch hefyd dan* **anniddorol**

Croesystyr: **gwlyb**

sylw *hwn: enw* **(sylwadau)** e.e. *Wyt ti wedi clywed y fath* ***sylw*** *cas am berson o'r blaen?*

ymadrodd

gosodiad *hwn* e.e. *Mae* ***gosodiad*** *Tomos yn annheg ac yn anghywir.*
datganiad *hwn* e.e. *Mae sawl* ***datganiad*** *am y pwnc yn y papur lleol.*
barn *hon* e.e. *Oes* ***barn*** *gan dy rieni am y pwnc?*
dywediad *hwn* e.e. *'Wel y jiw, jiw,' yw hoff* ***ddywediad*** *Ianto.*

rhoi sylw canolbwyntio; gwrando'n astud; gwylio'n ofalus

syniad *hwn: enw* **(syniadau)** e.e. *Doedd gan Liam ddim* ***syniad*** *beth oedd ateb y cwestiwn.*

awgrym

amcan *hwn* neu *hon* e.e. *Oes gyda ti unrhyw* ***amcan*** *beth yw cost y car?*
bwriad *hwn* e.e. ***Bwriad*** *Elin yw mynd i'r caffi i gael cinio.*
chwiw *hwn* e.e. ***Chwiw*** *Taid, a neb arall, yw mynd i lan y môr a bwyta hufen iâ.*
clem *hwn* (wrth siarad yn bennaf) e.e. *Does gan Guto ddim* ***clem*** *sut i ganu.*

syth *ansoddair* e.e. *Byddaf yn dod adre'n* ***syth*** *ar ôl i'r ffilm orffen.*

union

uniongyrchol e.e. *Mae'r trên yma yn teithio'n* ***uniongyrchol*** *i Lundain.*
diwyro e.e. *Mae'r lifft sgio i ben y mynydd yn gyflym a* ***diwyro****.*
diymdroi e.e. *Dewch adre'n* ***ddiymdroi*** *cyn iddi nosi.*

yn syth bìn ar unwaith

Croesystyr: **cam; crwca**

T

taclus *ansoddair* e.e. *Dyma dŷ* ***taclus*** *a glân dros ben!*

twt	destlus

cymen e.e. *Mae rhes o dai* ***cymen*** *iawn yng nghanol y pentref.*
celfydd e.e. *Dyma ysgrifen* ***gelfydd*** *iawn.*
trefnus e.e. *Bachgen* ***trefnus*** *iawn yw Rhodri sy'n cadw popeth yn ei le.*
trwsiadus e.e. *Mae'n rhaid smwddio dillad er mwyn edrych yn* ***drwsiadus****.*

 Croesystyr: **anniben; blêr**

taenu *berfenw* e.e. *Rydw i'n hoffi* ***taenu*** *hufen dros fefus cyn eu bwyta.*

gwasgaru	lledaenu

lledu e.e. *Mae rhywun wedi bod yn* ***lledu*** *straeon anghywir amdanon ni.*
cyhoeddi e.e. *Mae Rhys wedi bod yn brysur yn* ***cyhoeddi****'r newyddion da.*
plastro (wrth siarad) e.e. *Mae Dylan wedi* ***plastro*** *gormod o olew dros ei wallt.*
tannu e.e. *Wyt ti wedi cofio* ***tannu****'r gwely cyn dod lawr y bore 'ma?*

taflu *berfenw* e.e. *Mae fy chwaer yn medru* ***taflu*** *pêl yn uchel i'r awyr a'i dal.*

lluchio

hyrddio e.e. *Pa un ohonoch chi sy'n gallu* ***hyrddio****'r belen eira yma bellaf?*
bwrw e.e. *Wyt ti'n gallu* ***bwrw****'r garreg yma i ganol y llyn?*
estyn e.e. *Dyma'r chwaraewr yn* ***estyn*** *cic fach slei i'r bêl a sgorio gôl.*
gwaredu e.e. *Mae Mam wedi* ***gwaredu****'r holl annibendod oedd yn yr ardd.*

taflu dŵr oer (ar rywbeth) lladd brwdfrydedd, bod yn negyddol
taflu llwch i lygaid ceisio cuddio'r gwir
taflu ergyd bwrw rhywun â dwrn

 Croesystyr: **casglu**

taith *hon: enw* **(teithiau)** e.e. *Mae **taith** yn mynd o'r ysgol i San Ffagan yfory.*

trip

siwrnai *hon* e.e. *Rydw i'n mynd ar **siwrnai** i Lundain ddydd Sadwrn.*
tro *hwn* e.e. *Beth am fynd am **dro** i lan y môr?*
gwibdaith *hon* e.e. *Mae 'na **wibdaith** yn mynd o'r pentref i ben yr Wyddfa.*

Mathau arbennig o deithiau:

cyrch *hwn* taith i orchfygu rhywbeth
mordaith *hon* taith mewn llong ar y môr
pererindod *hon* neu *hwn* taith i safle crefyddol
saffari *hon* neu *hwn* taith i weld anifeiliaid gwyllt

talfyrru *berfenw* e.e. *Geiriau wedi eu **talfyrru** sydd mewn neges destun.*

byrhau

cwtogi e.e. *Mae angen **cwtogi**'r stori hon am ei bod hi'n rhy hir.*
crynhoi e.e. *Wyt ti'n fodlon **crynhoi**'r neges i un frawddeg?*
torri e.e. *Mae Mrs Huws wedi **torri**'r stori hir a ysgrifennais er mwyn ei gwneud yn fwy cryno.*
tocio e.e. *Mae angen **tocio**'r frawddeg hon am ei bod hi'n rhy hir.*

✗ Croesystyr: **cynyddu; ehangu**

talu *berfenw* **talu am** e.e. *Ti neu fi sy'n **talu am** y coffi heddiw?*

prynu

cyflogi e.e. *Mae'r ysgol yn **cyflogi** garddwr i gadw'r lle'n daclus.*
rhoi e.e. *Mae Mam yn **rhoi** pum punt i mi am olchi ei char.*
gwario e.e. *Rydw i wedi **gwario** deg punt ar focs o siocledi.*
llogi e.e. *Rydw i wedi **llogi**'r ystafell am weddill yr wythnos.*
fforddio e.e. *Ydy Arthur yn medru **fforddio**'r car crand yna?*

tanio *berfenw* e.e. *Pwy sy'n medru clywed sŵn y drylliau'n **tanio**?*

saethu

ergydio e.e. *Mae llawer o sŵn **ergydio**'n dod o'r goedwig.*

cynnau e.e. *Mae'n rhaid **cynnau** coelcerth ar noson Guto Ffowc.*
ennyn e.e. *Mae'r athro yn gwneud ei orau glas i **ennyn** diddordeb y plant.*
melltennu e.e. *Roedd llygaid Gwynfor yn **melltennu** ar ôl colli'r ras.*
fflamio e.e. *Mae'r papur wedi **fflamio** a thasgu ar y carped.*

tanio fel matsien am rywun â thymer byr iawn

Edrychwch hefyd dan **fflachio**

Croesystyr: **diffodd**

tawel *ansoddair* e.e. *Bachgen **tawel** iawn yw Gwern.*

distaw

llonydd e.e. *Mae'r llyn yn gwbl **llonydd** heddiw.*
digyffro e.e. *Mae Mali'n sefyll yn eithaf **digyffro** yng nghanol y dorf.*
mud e.e. *Mae Cai wedi mynd yn **fud** ar ôl y ddamwain.*
tawedog e.e. *Bachgen digon **tawedog** yw Sam.*
di-ddweud e.e. *Un **di-ddweud** yw Ifan fel arfer.*

heb na siw na miw yn dawel iawn, heb sŵn o gwbl
tawel fy meddwl yn fodlon

Croesystyr: **swnllyd**

teclyn *hwn: enw* **(taclau)** e.e. *Oes **teclyn** i agor tun gan rywun?*

dyfais

offeryn *hwn* e.e. *Mae gan Dad ryw **offeryn** at bob gwaith.*
erfyn *hwn* e.e. *Mae'r gyllell yna'n **erfyn** miniog a pheryglus.*

tenau *ansoddair* e.e. *Coesau **tenau** sydd gan dwrci.*

main

prin e.e. *Cynulleidfa ddigon **prin** sydd wedi dod i'r cyngerdd.*
tila e.e. *Cnwd digon **tila** o fefus sydd yn yr ardd eleni.*
gwan e.e. *Digon **gwan** yw'r deunydd sydd yn y stori hon.*
dyfrllyd e.e. *Mae'n gas gen i gawl **dyfrllyd**.*

Croesystyr: **tew**

terfysg *hwn: enw* **(terfysgoedd)** e.e. *Wyt ti wedi clywed sôn ar y newyddion am y* ***terfysg*** *ar strydoedd Llundain?*

cynnwrf	helynt

gwrthryfel *hwn* e.e. *Mae* ***gwrthryfel*** *wedi codi yn y wlad.*
brwydr *hon* e.e. *Mae* ***brwydr*** *waedlyd wedi bod yma.*

 ***Edrychwch hefyd dan*** **helynt; twrw**

 Croesystyr: **heddwch; llonydd**

tew *ansoddair* e.e. *Rydw i'n teimlo'n eithaf* ***tew*** *ar ôl bwyta'r holl siocled yna.*

boliog

trwchus e.e. *Disgynnodd haen* ***drwchus*** *o eira yn ystod y nos.*
mawr e.e. *Roedd y cawr yn y stori'n un* ***mawr*** *a chryf.*
gludiog am hylif e.e. *Mae'n gas gen i fwyta uwd* ***gludiog****.*

 **croendew** person nad yw'n sensitif iawn

 Croesystyr: **tenau**

tlawd *ansoddair* e.e. *Mae nifer o wledydd Affrica yn rhai* ***tlawd*** *iawn.*

llwm

anghenus e.e. *Ym mhob dinas bron fe welwch chi bobl* ***anghenus*** *yn cardota ar y strydoedd.*

 ***Edrychwch hefyd dan*** **gwael; llwm**

 Croesystyr: **cyfoethog**

torf *hon: enw* **(torfeydd)** e.e. *Mae* ***torf*** *fawr o bobl yn gwylio'r gêm.*

tyrfa

llu *hwn* e.e. *Mae* ***llu*** *o bobl wedi cyrraedd y maes awyr heddiw.*

haid *hon* e.e. *Daeth **haid** o blant i chwarae yn y parc.*
twr *hwn* e.e. *Mae **twr** o bobl wedi casglu ar lan yr afon i wylio'r pysgotwyr.*

llond gwlad nifer fawr iawn o bobl neu o bethau

Edrychwch hefyd dan **casgliad; grŵp**

Croesystyr: unigolyn

torri

berfenw e.e. *Mae'r plant wedi **torri** ffenest y gegin wrth chwarae pêl.*

malu	chwalu	cracio

byrstio e.e. *Mae'r bibell wedi **byrstio** ac mae dŵr ym mhob man.*
dryllio e.e. *Mae'r llestri i gyd wedi'u **dryllio**'n ddarnau mân.*
darnio e.e. *Pwy sydd wedi **darnio**'r papur yma i gyd?*
rhwygo e.e. *Ceisiwch dynnu'r stamp oddi ar yr amlen heb ei **rwygo**.*
clipio e.e. *Mae Mam wedi **clipio**'r gwallt oedd yn disgyn i'm llygaid.*

Mathau arbennig o dorri:

Y gwaith	Ar beth:	Gan ddefnyddio:
aredig	tir	aradr
cneifio	defaid	gweill
hollti	coed	bwyell
llifio	pren	llif
palu	pridd	pâl
siafio	barf	rasal
tocio	clawdd	siswrn
trimio	gwallt	siswrn
tyllu	twll/pren	dri

torri asgwrn cefn rhywbeth cyflawni'r rhan fwyaf anodd o dasg
torri crib ceiliog gwneud rhywun i beidio â bod mor falch
torri'r got yn ôl y brethyn byw o fewn hynny o arian sydd ar gael

Croesystyr: uno

a b c ch d dd e f ff g ng h i j l ll m n o p ph r rh s t th u w y

a
b
c
ch
d
dd
e
f
ff
g
ng
h
i
j
l
ll
m
n
o
p
ph
r
rh
s
t
th
u
w
y

trafod *berfenw* e.e. *Mae Siôn yn hoffi **trafod** canlyniad pob gêm rygbi yng nghwmni ei ffrindiau.*

pwyso a mesur

siarad am e.e. *Mae'n bwysig **siarad am** unrhyw broblem sydd gennych chi.*
ystyried e.e. *Wyt ti wedi **ystyried** y pris cyn penderfynu prynu'r llyfr?*
cydbwyso e.e. *Beth am **gydbwyso**'r holl syniadau cyn penderfynu?*
cysidro (wrth siarad yn y Gogledd) e.e. *Mae'n rhaid **cysidro** ble i fynd ar ein gwyliau eleni.*

Edrychwch hefyd dan **dadlau**

trafferth *hwn* neu *hon: enw* **(trafferthion)** e.e. *Pwy sy'n achosi **trafferth** yn yr ysgol heddiw?*

problem	trwbl	helynt

helbul *hwn* e.e. *Roedd tipyn o **helbul** yn y dref nos Sadwrn.*
niwsans *hwn* (wrth siarad) e.e. *Dim ond **niwsans** fu'r car yna ers i Dad ei brynu.*
trybini *hwn* e.e. *Mae'r efeilliaid mewn **trybini** gyda'r heddlu o hyd.*
strach *hwn* e.e. *Mae rhyw **strach** wedi codi yn y parc rhwng y bechgyn a'r merched.*
picil *hwn* e.e. *Mae pawb mewn **picil** am fod y trên ar stop.*
anhawster *hwn* e.e. *Mae Non yn cael **anhawster** cau sip ei chot am ei fod wedi torri.*

Edrychwch hefyd dan **helynt; problem**

tric *hwn: enw* **(triciau)** e.e. ***Tric** gwael oedd hwnna i'w chwarae arna i.*

tro

cast *hwn* e.e. *Hen **gast** brwnt oedd taflu'r bêl i ganol y llyn.*
camp *hon* e.e. *Roedd yn dipyn o **gamp** i gael y bêl i'r twll.*

trist *ansoddair* e.e. *Roedd y chwaraewyr yn **drist** ar ôl colli'r gêm.*

anhapus

prudd e.e. *Llygaid **prudd** a dagreuol iawn sydd gan Siân heddiw.*
digalon e.e. *Mae Gwen yn eithaf **digalon** ar ôl methu'r arholiad.*
torcalonnus e.e. *Mae gweld lluniau o'r llifogydd yn **dorcalonnus** iawn.*

mwy trist na thristwch yn annioddefol o drist

Croesystyr: **llawen; llon**

trysor *hwn: enw* **(trysorau)** e.e. *Mae'r môr-ladron wedi cuddio'r* ***trysor****.*

cyfoeth	ffortiwn	arian mawr

golud *hwn* e.e. *Roedd* ***golud*** *brenhinoedd yr Aifft yn cael ei gladdu gyda nhw ar ôl marw.*

twrw *hwn: enw* **(tyrfau)** e.e. *Pwy sy'n cadw* ***twrw*** *yn y stryd?*

sŵn	stŵr

cynnwrf *hwn* e.e. *Roedd* ***cynnwrf*** *mawr yn y gêm bêl-droed heddiw.*
rhu *hwn* e.e. *Roedd* ***rhu****'r dorf ar ddiwedd y ras i'w glywed o bell.*
cythrwfl *hwn* e.e. *Mae'r heddlu yn disgwyl* ***cythrwfl*** *dros y penwythnos.*
mwstwr *hwn* e.e. *Beth yw'r* ***mwstwr*** *ar y stryd yr amser hwn o'r nos?*
berw *hwn* e.e. *Roedd y ffair yn* ***ferw*** *gwyllt.*
clindarddach *hwn* e.e. *Roedd* ***clindarddach*** *y peiriant i'w glywed o bell.*

mwy o dwrw nag o daro mwy o sŵn nag o waith

Edrychwch hefyd dan **terfysg**

Croesystyr: **distawrwydd; tawelwch; llonyddwch**

twyllo *berfenw* e.e. *Mae'r lleidr wedi* ***twyllo*** *llawer o bobl ddiniwed.*

camarwain

hudo e.e. *Byddwch yn ofalus o bobl sy'n ceisio eich* ***hudo*** *chi i fynd gyda nhw, trwy gynnig anrhegion neu arian i chi.*
cafflo (wrth siarad) e.e. *Mae Dewi bob amser yn* ***cafflo*** *wrth chwarae cardiau.*

nid twyll twyllo twyllwr y mae rhywun sy'n twyllo eraill yn haeddu cael ei dwyllo ei hun
dweud celwydd twyllo drwy beidio â dweud y gwir
arwain ar gyfeiliorn twyllo drwy ddweud neu wneud rhywbeth drygionus

chwarae castiau twyllo drwy chwarae tric
chwarae gemau twyllo drwy chwarae gêm

***Edrychwch hefyd dan* denu; actio**

tyfu *berfenw* e.e. *Mae'r pentref wedi **tyfu** llawer ers codi'r stâd dai newydd.*

cynyddu

datblygu e.e. *Mae Dion wedi **datblygu** i fod yn fachgen mawr, cryf.*
prifio e.e. *Bydd yr ŵyn bach wedi **prifio** erbyn yr hydref.*
egino e.e. *Mae'r coed yn dechrau **egino** wedi'r gaeaf.*
blodeuo e.e. *Mae hyder Elin fel cantores yn **blodeuo**.*
ymestyn e.e. *Mae'r stori yna wedi **ymestyn** llawer erbyn hyn.*
ymledu e.e. *Mae'r wên yn **ymledu** ar ei gwefusau.*
ehangu e.e. *Mae'r cwmni yn bwriadu **ehangu** a symud i safle mwy.*
codi e.e. *Mae Nain yn **codi** tomatos yn yr ardd.*

Croesystyr: lleihau

tymer *hon: enw* **(tymherau)** e.e. *Oes **tymer** ddrwg ar Mallt y bore 'ma?*

hwyl

natur *hon* e.e. *Mae **natur** ffein gan yr hen gi.*

tyn *ansoddair* **yn dynn** e.e. *Mae brest y claf yn teimlo'n eithaf **tyn** heddiw.*

caeth

sownd e.e. *Mae angen i ti gau dy got yn **sownd** yn y gwynt cryf yma.*

X **Croesystyr: llac; rhydd; llaes**

tyner *ansoddair* e.e. *Mae gan Mam ddwylo **tyner** iawn.*

meddal | **sensitif**

brau e.e. *Ydy'r cig yn ddigon **brau** i chi ei fwyta?*
esmwyth e.e. *Mae croen **esmwyth** iawn ar gefn llaw Mam-gu.*

swynol e.e. *Roedd ei llais* ***swynol*** *yn gwneud imi ymlacio a mynd i gysgu.*
mwyn e.e. *Rydw i'n gallu teimlo awel* ***fwyn*** *yn chwythu o'r môr.*
ysgafn e.e. *Wyt ti'n gallu teimlo awel* ***ysgafn*** *ar dy dalcen?*

tywyll *ansoddair* e.e. *Dillad* ***tywyll*** *oedd gan y lleidr.*

du	llwyd

diolau e.e *Ystafelloedd* ***diolau*** *sydd yn y gwesty.*
aneglur e.e. *Mae hon yn gerdd* ***aneglur*** *ac anodd ei deall.*

X Croesystyr: **golau**

a b c ch d dd e f ff g ng h i j l ll m n o p ph r rh s t th u w y

a b c ch d dd e f ff g ng h i j l ll m n o p ph r rh s t th u w y

uno *berfenw* e.e. *Mae'r ddau gwmni wedi cytuno i* ***uno*** *i greu un cwmni mawr.*

ymuno

cyfuno e.e. *Mae angen* ***cyfuno****'r ddwy ysgol ar safle newydd.*
clymu e.e. *Tybed allwn ni* ***glymu****'r ddau ddarn at ei gilydd?*
asio e.e. *Mae Dan wedi llwyddo i* ***asio*** *pen y pyped i weddill y corff.*
cyplysu e.e. *Ydyn nhw wedi llwyddo i* ***gyplysu****'r injan a'r wagenni?*
priodi e.e. *Mae Carl a Delyth yn* ***priodi*** *ddydd Sadwrn.*
pontio e.e. *Mae'r ffordd dros yr afon yn* ***pontio*** *Ceredigion a Sir Gaerfyrddin.*
cydio e.e. *Bu'r ddau asgwrn yn hir yn* ***cydio*** *ar ôl iddo dorri ei fraich.*

 ***Edrychwch hefyd dan*** **plethu**

 **Croesystyr: chwalu**

wylo *berfenw* e.e. *Dechreuodd* ***wylo*** *ar ôl disgyn yn fflat ar ei drwyn?*

llefain	**crio**

ubain e.e. *Rydw i'n gallu clywed Elis yn* ***ubain*** *yn y gornel.*

wylo'n hidl llefain yn ddilywodraeth
torri calon bod yn drist ofnadwy
colli dagrau wylo llawer

Croesystyr: **chwerthin; llawenhau**

wyneb *hwn: enw* **(wynebau)** e.e. *Sawl* ***wyneb*** *sydd gan ddis?*

ochr

gwedd *hon* e.e. *Mae* ***gwedd*** *y bachgen yn debyg iawn i'w fam.*
gwep *hon* e.e. *Digon diflas yw* ***gwep*** *Beth heddiw eto!*
jib *hwn* e.e. *Paid â thynnu* ***jib*** *ar y camera rhag i ti edrych yn ddiflas.*

ar yr wyneb yn ymddangosiadol
bod â digon o wyneb bod yn ddigon haerllug, bod yn ddigywilydd
dangos fy wyneb bod yn bresennol, ymddangos

Y

ychydig *ansoddair* e.e. ***Ychydig** bach o fwyd sydd ei angen ar ddryw.*

tamaid	mymryn	tipyn

prin e.e. ***Prin** yw'r dorf sydd wedi aros i wylio'r ras yn y glaw.*
bach e.e. ***Bach** iawn o bobl sydd wedi cyrraedd am fod y bws yn hwyr.*
dyrnaid e.e. *Mae **dyrnaid** o'r teulu'n mynd i'r briodas yn yr Alban.*
diferyn *hwn* e.e. *Beth am ychwanegu **diferyn** bach o laeth oer at y coffi poeth?*

 **ychydig is na'r angylion** am rywun sydd mor dda ag y gall dyn fod neu yn ceisio rhoi'r argraff hwnnw

 Croesystyr: **llawer**

yfed *berfenw* e.e. *Does dim angen i ti **yfed** dy de mor sydyn.*

llyncu

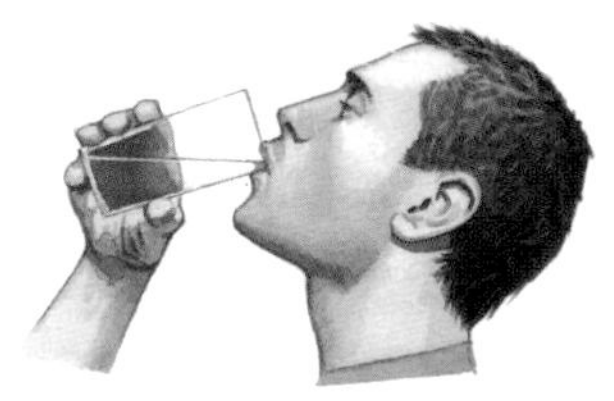

drachtio e.e. *Roedd y ci mor sychedig fe wnaeth **ddrachtio**'r dŵr i gyd.*
sugno e.e. *Mae Gwen yn **sugno** sudd yr oren yn awchus.*
llowcio e.e. *Mae Ifan wedi **llowcio**'r pop i gyd am fod ei fwyd mor hallt.*
gwagio e.e. *Chymerodd hi fawr o amser i'r criw **wagio** cynnwys y poteli pop.*

ymarfer *berfenw* e.e. *Wyt ti wedi bod yn **ymarfer** symudiadau'r ddawns?*

dysgu

rihyrsio (wrth siarad) e.e. *Ble mae'r côr yn **rihyrsio** yr wythnos nesaf?*
gweithredu e.e. *Mae'n rhaid **gweithredu** ein hawliau bob amser, nid dim ond siarad amdanyn nhw.*

 **dod yn gyfarwydd â** dysgu rhywbeth drwy ymarfer

 Croesystyr: **diogi**

ymdrech *hon: enw* e.e. *Roedd llawer o **ymdrech** y tu ôl i lwyddiant y tîm.*

gwaith

ymgais *hwn* neu *hon* e.e. *Mae Siôn wedi llwyddo yn ei **ymgais** i ddringo i ben yr Wyddfa.*
egni *hwn* e.e. *Mae'r **egni** a roddodd Non i mewn i'r gwaith yn wych.*
cynnig *hwn* e.e. *Hwn yw **cynnig** cyntaf Math i dyfu ffa yn ei ardd.*
trafferth *hon* e.e. *Roedd trefnu'r parti yn dipyn o **drafferth**.*

ymddiheuro *berfenw*

Gwahanol ffyrdd o ymddiheuro:

Mae'n ddrwg gen i
Mae'n flin gen i
Maddeuwch i mi
Esgusodwch fi

ymddiheuro'n llaes ymddiheuro'n ddiffuant ac yn ddwys

ymlacio *berfenw* e.e. *Bydd cyfle i **ymlacio** yn ystod y gwyliau.*

hamddena

dadflino e.e. *Mae Elin wedi **dadflino** ar ôl yr holl waith caled.*

llaesu dwylo ymlacio
bwrw blinder cymryd saib

Croesystyr: **ymdrechu**

ymladd *berfenw* e.e. *Mae'r **ymladd** yn parhau yn y Dwyrain Canol.*

brwydro | **rhyfela**

ymrafael e.e. *Mae rhyw **ymrafael** rhwng y ddau deulu yna o hyd.*
ymryson e.e. *Hen arfer creulon oedd **ymryson** ceiliogod.*
cwffio e.e. *Mae **cwffio** mawr y tu allan i'r tŷ tafarn ar nos Sadwrn.*
paffio e.e. *Pwy oedd yn **paffio** ar iard yr ysgol heddiw?*

***Edrychwch hefyd dan* ffraeo**

ysgafn *ansoddair* e.e. *Gwynt* ***ysgafn*** *sy'n chwythu o'r môr heddiw.*

mwyn

chwareus e.e. *Mae'r gath fach yn hoffi cnoi clustogau'n* ***chwareus****.*
poblogaidd e.e. *Mae Manon yn hoffi caneuon* ***poblogaidd****, modern.*

yn ysgafn fel pluen rhywbeth ysgafn iawn

Edrychwch hefyd dan **digrif**

Croesystyr: **cryf; trwm; pwysig**

ysgwyd *berfenw* e.e. *Mae'r baneri'n* ***ysgwyd*** *yn y gwynt.*

chwifio

cyhwfan e.e. *Roedd y baneri yn* ***cyhwfan*** *uwchben muriau'r castell.*
simsanu e.e. *Roedd y tŵr yn* ***simsanu*** *yn ystod y daeargryn.*
dirgrynu e.e. *Mae'r llawr yn* ***dirgrynu*** *wrth i'r trên fynd heibio.*

rhoi ysgytwad ysgwyd rhywun neu rywbeth

Edrychwch hefyd dan **chwifio; siglo**

Croesystyr: **llonyddu**

ystafell *hon: enw* **(ystafelloedd)**

Gwahanol fathau o ystafelloedd:

cegin *hon* ystafell paratoi bwyd
croglofft *hon* ystafell yn y to
cwtsh dan staer *hwn* cwpwrdd dan staer/dan grisiau
cyntedd *hwn* porth neu fynedfa
derbynfa *hon* ystafell croesawu pobl
ffreutur *hwn neu hon* ystafell fwyta fawr
lolfa *hon* ystafell eistedd
llofft *hon* ystafell wely neu ystafell lan staer
llyfrgell *hon* ystafell i gadw llyfrau
neuadd *hon* ystafell gyfarfod
oriel *hon* ystafell arddangos

pantri *hwn* ystafell cadw bwyd
parlwr *hwn* ystafell orau
sbens *hon* cwpwrdd dan staer/dan grisiau
seler *hon* ystafell dan lawr tŷ neu adeilad
siambr *hon* ystafell fawr
stiwdio *hon* ystafell gerdd/ystafell arlunio neu ffotograffiaeth
tŷ bach *hwn* toiled
ystafell fwyta *hon*
ystafell fyw *hon*
ystafell wely *hon*
ystafell ymolchi *hon*

ystyfnig *ansoddair* e.e. *Bachgen* ***ystyfnig*** *iawn yw Marc.*

cyndyn	penderfynol

penstiff e.e. *Does neb yn fwy* ***penstiff*** *na Catrin.*
pengaled e.e. *Un* ***pengaled*** *iawn yw Mr Elis.*

di-droi'n ôl dim modd newid meddwl

a b c ch d dd e f ff g ng h i j l ll m n o p ph r rh s t th u w y

Mynegai

Am ragor o eiriau tebyg eu hystyr i'r geiriau mewn print du, edrychwch yn y Thesawrws ar y rhestr o dan y gair/pennawd mewn print coch. Mae'r geiriau mewn print gwyrdd yn eiriau sydd yn groesystyr neu'n wrthwyneb i ystyr y gair coch.

A a

anghytuno	*berfenw*	dadlau
anghytuno	*berfenw*	ffraeo
anghytuno	*berfenw*	cytuno
anghywir	*ansoddair*	anghywir
anghywir	*ansoddair*	ffug
anghywir	*ansoddair*	cywir
anghywir	*ansoddair*	iawn
angladd	*enw*	gwasanaeth
angladd	*enw*	seremoni
allt	*enw*	rhiw
alltudio	*berfenw*	cosbi
allweddol	*ansoddair*	pwysig
amau	*berfenw*	amau
amcan	*enw*	syniad
amddiffyn	*berfenw*	achub
amddiffyn	*berfenw*	cysgodi
amgen	*ansoddair*	gwahanol
amgueddfa	*enw*	casgliad
amhendant	*ansoddair*	pendant
amherffaith	*ansoddair*	perffaith
amheus	*ansoddair*	ansicr
amheuthun	*ansoddair*	blasus
amhosibl	*ansoddair*	amhosibl
amhrisiadwy	*ansoddair*	gwerthfawr
amlinelliad	*enw*	darlun
amlwg	*ansoddair*	amlwg
amlwg	*ansoddair*	enwog
amlwg	*ansoddair*	plaen
amryfal	*ansoddair*	gwahanol
amrywio	*berfenw*	newid
amrywiol	*ansoddair*	gwahanol
amser	*enw*	amser
amser a ddengys	*berfenw*	amser
anadnabyddus	*ansoddair*	amlwg
anaf	*enw*	anaf
anaf	*enw*	niwed
anafu	*berfenw*	brifo
analluog	*ansoddair*	galluog
anaml	*ansoddair*	prin
anarferol	*ansoddair*	anhygoel
anarferol	*ansoddair*	dieithr
anarferol	*ansoddair*	rhyfedd
anarferol	*ansoddair*	prin
anarferol	*ansoddair*	cyffredin
aneglur	*ansoddair*	ansicr
aneglur	*ansoddair*	dyrys
aneglur	*ansoddair*	tywyll
aneglur	*ansoddair*	amlwg
aneglur	*ansoddair*	clir
aneglur	*ansoddair*	plaen
anelu	*berfenw*	pwyntio
anelu at	*berfenw*	ceisio
anenwog	*ansoddair*	enwog

anesmwyth	*ansoddair*	aflonydd
anesmwyth	*ansoddair*	esmwyth
anesmwytho	*berfenw*	ofni
anfarwol	*ansoddair*	da
anfodlon	*ansoddair*	siomedig
anfoddhaol	*ansoddair*	gwael
anfoesgar	*ansoddair*	garw
anfon	*berfenw*	anfon
anfwriadol	*ansoddair*	damweiniol
anffodus	*ansoddair*	anffodus
anffodus	*ansoddair*	ffodus
anhapus	*ansoddair*	trist
anhawster	*enw*	problem
anhawster	*enw*	trafferth
anhwylder	*enw*	clefyd
anhwylus	*ansoddair*	gwael
anhyblyg	*ansoddair*	caled
anhyblyg	*ansoddair*	solet
anhygoel	*ansoddair*	anhygoel
anial	*ansoddair*	llwm
anifail	*enw*	anifail
anlwcus	*ansoddair*	anffodus
anlwcus	*ansoddair*	ffodus
anllygredig	*ansoddair*	pur
annelwig	*ansoddair*	ansicr
annhebyg	*ansoddair*	gwahanol
anhrefnus	*ansoddair*	anniben
anniben	*ansoddair*	anniben
anniben	*ansoddair*	llac
anniben	*ansoddair*	taclus
anniddig	*ansoddair*	aflonydd
anniddorol	*ansoddair*	anniddorol
anniddorol	*ansoddair*	diddorol
annifyr	*ansoddair*	cas
annigonol	*ansoddair*	prin
anniogel	*ansoddair*	peryglus
annoeth	*ansoddair*	ffôl
annoeth	*ansoddair*	gwirion
annoeth	*ansoddair*	craff
annog	*berfenw*	cefnogi
annwyl	*ansoddair*	annwyl
annwyl	*ansoddair*	caredig
annwyl	*ansoddair*	serchog
annwyl	*ansoddair*	balch
anobeithio	*berfenw*	gobeithio
anodd	*ansoddair*	anodd
anodd	*ansoddair*	dyrys
anodd ei drin	*ansoddair*	sensitif
anonest	*ansoddair*	gonest
anorfod	*ansoddair*	sicr
anrhydedd	*enw*	clod
anrhydeddu	*berfenw*	ennill
anrhydeddus	*ansoddair*	da
ansawdd	*enw*	safon

ansicr	*ansoddair*	ansicr
ansicr	*ansoddair*	nerfus
ansicr	*ansoddair*	pendant
ansicr	*ansoddair*	sicr
anturus	*ansoddair*	cyffrous
anturus	*ansoddair*	mentrus
anunion	*ansoddair*	cam
anwastad	*ansoddair*	garw
anwastad	*ansoddair*	gwastad
anwastad	*ansoddair*	llyfn
anwedd	*enw*	niwl
anwiredd	*ansoddair*	ffug
anwybyddu	*berfenw*	edrych
anymarferol	*ansoddair*	amhosibl
anystwyth	*ansoddair*	sionc
anystywallt	*ansoddair*	anodd
anystywallt	*ansoddair*	gwyllt
apelgar	*ansoddair*	diddorol
apelio	*berfenw*	gofyn
ar bigau'r drain	*ansoddair*	nerfus
ar binnau	*ansoddair*	nerfus
ar bwys	*adferf*	agos
ar drai	*ansoddair*	isel
ar ei hôl hi	*ansoddair*	araf
ar ei hôl hi	*enw*	ôl
ar fai	*ansoddair*	euog
ar fin	*enw*	min
ar frys	*ansoddair*	cyflym
ar fyr o dro	*enw*	amser
ar gam	*ansoddair*	anghywir
ar gyfyl	*adferf*	agos
ar hap	*ansoddair*	damweiniol
ar hap a damwain	*ansoddair*	ffodus
ar hast	*ansoddair*	cyflym
ar ôl	*ansoddair*	ôl
ar orwedd	*ansoddair*	gwastad
ar siawns	*ansoddair*	damweiniol
ar unwaith	*enw*	amser
ar wastad cefn	*ansoddair*	gwastad
ar y dechrau'n deg	*berfenw*	dechrau
ar yr wyneb	*enw*	wyneb
araf	*ansoddair*	araf
araf	*ansoddair*	cyflym
ara' deg	*ansoddair*	anifail
arafu	*berfenw*	brysio
arall	*ansoddair*	ffres
arall	*ansoddair*	gwahanol
arbed	*berfenw*	achub
arbed	*berfenw*	gwastraffu
arbennig	*ansoddair*	arbennig
arbennig	*ansoddair*	bendigedig
arbennig	*ansoddair*	enwog

arbennig	*ansoddair*	gwahanol
arbennig	*ansoddair*	hynod
archifdy	*enw*	casgliad
arddangos	*berfenw*	dangos
arddangos	*berfenw*	cuddio
ardderchog	*ansoddair*	braf
ardderchog	*ansoddair*	bendigedig
ardderchog	*ansoddair*	gwych
aredig	*berfenw*	agor
aredig	*berfenw*	torri
arferol	*ansoddair*	cyffredin
arferol	*ansoddair*	hynod
arferol	*ansoddair*	rhyfedd
argraff	*enw*	ôl
argyhoeddedig	*ansoddair*	pendant
argyhoeddi	*berfenw*	perswadio
argyhoeddiad	*enw*	ffydd
arian drwg	*ansoddair*	ffug
arian mawr	*enw*	trysor
ariannaidd	*ansoddair*	gloyw
ariannog	*ansoddair*	cyfoethog
arloesol	*ansoddair*	newydd
arllwys	*berfenw*	arllwys
arogl	*enw*	arogl
arogli	*berfenw*	arogli
aros	*berfenw*	aros
aros	*berfenw*	oedi
aros	*berfenw*	para
aros	*berfenw*	dianc
aros	*berfenw*	rhedeg
aros ar fy nhraed	*berfenw*	aros
aros yn llonydd	*berfenw*	chwifio
arswyd	*enw*	ofn
arswydo	*berfenw*	ofni
arswydus	*ansoddair*	ofnadwy
arsylwi	*berfenw*	edrych
arteithiol	*ansoddair*	poenus
aruthrol	*ansoddair*	anhygoel
arwain	*berfenw*	dangos
arwain ar gyfeiliorn	*berfenw*	twyllo
arwisgiad	*enw*	seremoni
arwrol	*ansoddair*	dewr
arwyddo	*berfenw*	pwyntio
arwyddocaol	*ansoddair*	difrifol
arwyddocaol	*ansoddair*	pwysig
asesu	*berfenw*	beirniadu
asgwrn i grafu	*berfenw*	dadlau
asidaidd	*ansoddair*	sur
asio	*berfenw*	uno
astrus	*ansoddair*	dyrys
astud	*ansoddair*	gofalus

astudio	*berfenw*	dysgu
ateb	*berfenw*	dweud
ateb	*berfenw*	gofyn
atgoffa	*berfenw*	rhybuddio
awch	*enw*	min
awdurdodol	*ansoddair*	pwysig
awgrym	*enw*	syniad
awgrymu	*berfenw*	cynnig
awgrymu	*berfenw*	dweud
awyddus	*ansoddair*	brwd
awyr iach	*ansoddair*	ffres
awyr iach	*ansoddair*	iach

B

baban	*enw*	baban
babi	*enw*	baban
bach	*ansoddair*	bach
bach	*ansoddair*	ifanc
bach	*ansoddair*	ychydig
bach	*ansoddair*	braf
bach y nyth	*ansoddair*	bach
bachgen	*enw*	dyn
bachog	*ansoddair*	diddorol
bachu	*berfenw*	dwyn
baglu	*berfenw*	cwympo
bai	*enw*	bai
bai	*enw*	camgymeriad
bai	*enw*	clod
balch	*ansoddair*	anifail
balch	*ansoddair*	balch
bara brith	*ansoddair*	brith
barn	*enw*	barn
barn	*enw*	sylw
barnu	*berfenw*	beirniadu
barnu	*berfenw*	credu
barnu	*berfenw*	penderfynu
barugo	*berfenw*	oeri
barugog	*ansoddair*	oer
bas	*ansoddair*	isel
basn	*enw*	padell
bathu	*berfenw*	ffurfio
bawlyd	*ansoddair*	brwnt
becso	*berfenw*	gofidio
bedwen	*enw*	coeden
bedydd	*enw*	gwasanaeth
bedydd	*enw*	seremoni
begiwch eich pardwn	*berfenw*	ymddiheuro
beiddgar	*ansoddair*	dewr
beiddgar	*ansoddair*	mentrus
beiddgar	*ansoddair*	swil
beiddio	*berfenw*	mentro
beio	*berfenw*	beio
beirniadaeth	*enw*	clod
beirniadol	*ansoddair*	pigog
beirniadu	*berfenw*	beirniadu
beirniadu	*berfenw*	dweud
beirniadu'n hallt	*berfenw*	beirniadu
bendigedig	*ansoddair*	bendigedig
bendigedig	*ansoddair*	braf
bendigedig	*ansoddair*	gwych
berw	*enw*	twrw
berwedig	*ansoddair*	poeth
berwi	*berfenw*	coginio
beudy	*enw*	cartref
blaenaf	*ansoddair*	gorau
blaenllaw	*ansoddair*	amlwg
blas	*enw*	pleser
blasus	*ansoddair*	blasus
blasus	*ansoddair*	melys
blêr	*ansoddair*	anniben
blêr	*ansoddair*	esgeulus
blêr	*ansoddair*	taclus
blin	*ansoddair*	cas
blino	*berfenw*	gofidio
blith draphlith	*ansoddair*	anniben
blodeugerdd	*enw*	casgliad
blodeuo	*berfenw*	tyfu
bloeddio	*berfenw*	galw
bloeddio	*berfenw*	gweiddi
bob amser	*adferf*	gwastad
bob dydd	*ansoddair*	cyffredin
bob tro	*adferf*	gwastad
bod â digon o wyneb	*enw*	wyneb
bod ar fy ennill	*berfenw*	ennill
bod dros	*berfenw*	cefnogi
bod o blaid	*berfenw*	cefnogi
bod o gymorth	*berfenw*	helpu
bod yn agos ati	*adferf*	agos
bod yn barod	*berfenw*	paratoi
bod yn dda gan	*berfenw*	dymuno
bod yn fuddugol	*berfenw*	ennill
bod yn gefn	*berfenw*	cefnogi
bod yn rhaid	*berfenw*	mynnu
bod yn sicr	*berfenw*	amau
bodan	*enw*	ifanc
bodlon	*ansoddair*	balch
bodlon	*ansoddair*	hapus
bodlon	*ansoddair*	siomedig
bodloni	*berfenw*	cytuno
bodloni	*berfenw*	digio
boddhad	*enw*	pleser
boddi	*berfenw*	lladd
boi	*enw*	ifanc

bola tost	*enw*	brifo
boliog	*ansoddair*	tew
bôn	*enw*	sail
bonclust	*enw*	ergyd
bonheddig	*ansoddair*	bonheddig
bonheddwr	*enw*	gŵr
bostio	*berfenw*	brolio
bracsan	*berfenw*	cerdded
bracso	*berfenw*	cerdded
braenaru	*berfenw*	paratoi
braf	*ansoddair*	braf
braf	*ansoddair*	cysurus
braf	*ansoddair*	da
braf	*ansoddair*	drwg
braf	*ansoddair*	hyfryd
braf	*ansoddair*	ofnadwy
bras	*ansoddair*	llwm
brasgamu	*berfenw*	cerdded
braslun	*enw*	darlun
brasterog	*ansoddair*	seimllyd
bratiog	*ansoddair*	gwael
brathog	*ansoddair*	miniog
brathog	*ansoddair*	pigog
brathu	*berfenw*	pigo
brau	*ansoddair*	anifail
brau	*ansoddair*	gwan
brau	*ansoddair*	tyner
braw	*enw*	ofn
braw	*enw*	sioc
brawd	*enw*	dyn
brawd	*enw*	gŵr
brawychus	*ansoddair*	ofnadwy
brefu	*berfenw*	gweiddi
breuddwyd gwrach	*ansoddair*	ffug
bri	*enw*	clod
brifo	*berfenw*	brifo
brith	*ansoddair*	brith
briw	*enw*	anaf
briwsionyn	*enw*	darn
brolio	*berfenw*	brolio
brwd	*ansoddair*	brwd
brwdfrydig	*ansoddair*	brwd
brwdfrydig	*ansoddair*	bywiog
brwnt	*ansoddair*	brwnt
brwnt	*ansoddair*	cas
brwnt	*ansoddair*	ffyrnig
brwnt	*ansoddair*	glân
brwnt	*ansoddair*	pur
brwsio	*berfenw*	glanhau
brwydr	*enw*	terfysg
brwydro	*berfenw*	ymladd
brysio	*berfenw*	brysio
brysiog	*ansoddair*	cyflym
brysiwch heibio	*berfenw*	brysio
brysiwch wella	*berfenw*	brysio
buan	*ansoddair*	cyflym
buan	*ansoddair*	araf
budr	*ansoddair*	anifail
budr	*ansoddair*	brwnt
budr	*ansoddair*	glân
budr	*ansoddair*	pur
budd	*ansoddair*	lles
buddiol	*ansoddair*	da
buddiol	*ansoddair*	defnyddiol
buddiol	*ansoddair*	gwerthfawr
buddiol	*ansoddair*	llesol
buddugol	*ansoddair*	gorau
bugeilio'r brain	*ansoddair*	amhosibl
busnes	*enw*	gwaith
buwch fraith	*ansoddair*	brith
Bwdhaeth	*enw*	ffydd
bwndel	*enw*	pecyn
bwrdd	*enw*	grŵp
bwrglera	*berfenw*	dwyn
bwriad	*enw*	syniad
bwriadol	*ansoddair*	damweiniol
bwrw	*berfenw*	bwrw
bwrw	*berfenw*	taflu
bwrw blinder	*berfenw*	gorffwys
bwrw blinder	*berfenw*	ymlacio
bwrw golwg	*berfenw*	edrych
bwrw sen ar	*berfenw*	sarhau
bwrw'r bai ar	*berfenw*	beio
bwthyn	*enw*	cartref
bwystfil	*enw*	anifail
bychan	*ansoddair*	bach
bychan	*ansoddair*	ifanc
bychanu	*berfenw*	sarhau
byddarol	*ansoddair*	swnllyd
byddin	*enw*	grŵp
bygwth	*berfenw*	dweud
byr	*ansoddair*	bach
byr	*ansoddair*	byr
byr	*ansoddair*	hir
byr ei dymer	*ansoddair*	byr
byrlymu	*berfenw*	byrlymu
byrlymu â syniadau	*berfenw*	byrlymu
byrhau	*berfenw*	talfyrru
byrstio	*berfenw*	torri
byth a hefyd	*adferf*	gwastad
bytheirio	*berfenw*	gweiddi
byw	*ansoddair*	ffres
byw a bod	*berfenw*	aros
byw yn fain	*ansoddair*	main
byw mewn gobaith	*berfenw*	gobeithio

bywhau	*berfenw*	lladd
bywiog	*ansoddair*	aflonydd
bywiog	*ansoddair*	bywiog

C

caboledig	*ansoddair*	hardd
caboli	*berfenw*	gwella
cadarn	*ansoddair*	cadarn
cadarn	*ansoddair*	cryf
cadarn	*ansoddair*	iach
cadarn	*ansoddair*	sicr
cadarn	*ansoddair*	solet
cadarn	*ansoddair*	gwan
cadeirio	*berfenw*	ennill
cadw	*berfenw*	cysgodi
cadw	*berfenw*	newid
cadw stŵr	*ansoddair*	swnllyd
cadwyno	*berfenw*	clymu
caddug	*enw*	niwl
cael	*berfenw*	derbyn
cael	*berfenw*	gallu
cael amser da	*berfenw*	mwynhau
cael bai ar gam	*berfenw*	cam
cael blas	*berfenw*	mwynhau
cael blas ar	*berfenw*	hoffi
cael cip	*berfenw*	edrych
cael codwm	*berfenw*	cwympo
cael gwybod	*berfenw*	dysgu
cael hwyl	*berfenw*	mwynhau
cael hwyl ar	*berfenw*	hoffi
cael llond bol	*berfenw*	mwynhau
cael pleser	*berfenw*	mwynhau
cael pryd o dafod	*berfenw*	ceryddu
cael sbel	*berfenw*	gorffwys
cael siom ar yr ochr orau	*ansoddair*	siomedig
cael stŵr	*berfenw*	ceryddu
cael yn brin	*ansoddair*	prin
caeth	*ansoddair*	tyn
caethgludo	*berfenw*	cosbi
cafflo	*berfenw*	twyllo
cain	*ansoddair*	hardd
caled	*ansoddair*	anodd
caled	*ansoddair*	caled
caled	*ansoddair*	garw
caled	*ansoddair*	gwydn
caled	*ansoddair*	solet
caled	*ansoddair*	sych
caledi	*enw*	eisiau
caledu	*berfenw*	meirioli
call	*ansoddair*	anifail
call	*ansoddair*	doeth
call	*ansoddair*	ffôl
call	*ansoddair*	gwirion
cam	*ansoddair*	cam
cam	*enw*	niwed
cam	*ansoddair*	syth
cam gwag	*enw*	camgymeriad
cam gwag	*ansoddair*	ffug
camarwain	*berfenw*	twyllo
camarweiniol	*ansoddair*	ffug
camdybied	*berfenw*	camddeall
camddeall	*berfenw*	camddeall
camddefnyddio	*berfenw*	gwastraffu
camddehongli	*berfenw*	camddeall
camgymeriad	*enw*	camgymeriad
camgymryd	*berfenw*	camddeall
camlas	*enw*	dŵr
camp	*enw*	cystadleuaeth
camp	*enw*	tric
campus	*ansoddair*	gwych
camre	*enw*	ôl
camsyniad	*enw*	camgymeriad
camu	*berfenw*	cerdded
canfod	*berfenw*	gweld
caniatáu	*berfenw*	gadael
canmol	*berfenw*	edmygu
canmol	*berfenw*	caru
canmol	*berfenw*	achwyn
canmol	*berfenw*	beio
canmol	*berfenw*	beirniadu
canmol	*berfenw*	ceryddu
canmol	*berfenw*	sarhau
canmoliaeth	*enw*	clod
canolog	*ansoddair*	pwysig
canu	*berfenw*	perfformio
canu clodydd	*berfenw*	clod
canu'n iach	*ansoddair*	gadael
canu'n iach	*ansoddair*	iach
carcus	*ansoddair*	gofalus
carcharu	*berfenw*	cosbi
Cardi	*enw*	Cymro
caredig	*ansoddair*	bonheddig
caredig	*ansoddair*	caredig
caredig	*ansoddair*	da
caredig	*ansoddair*	hael
caredig	*ansoddair*	balch
caredig	*ansoddair*	brwnt
caredig	*ansoddair*	creulon
caredig	*ansoddair*	ffyrnig
caredig	*ansoddair*	garw
caregog	*ansoddair*	garw
cario'r dydd	*enw*	dydd
cario'r dydd	*berfenw*	ennill

carlamu	*berfenw*	rhedeg
carnedd	*enw*	casgliad
carpiog	*ansoddair*	llwm
cartref	*enw*	cartref
carthu	*berfenw*	glanhau
caru	*berfenw*	caru
caru	*berfenw*	hoffi
cas	*ansoddair*	cas
cas	*ansoddair*	cras
cas	*ansoddair*	chwerw
cas	*ansoddair*	drwg
cas	*ansoddair*	ffyrnig
cas	*ansoddair*	garw
cas	*ansoddair*	annwyl
cas	*ansoddair*	caredig
casáu	*berfenw*	caru
casáu	*berfenw*	hoffi
casgliad	*enw*	casgliad
casglu	*berfenw*	credu
casglu	*berfenw*	chwalu
casglu	*berfenw*	gwasgaru
casglu	*berfenw*	taflu
casglu mwg i fwced	*ansoddair*	amhosibl
casglu ynghyd	*berfenw*	cyfarfod
cast	*enw*	tric
castanwydden	*enw*	coeden
castell	*enw*	cartref
cáu	*berfenw*	gwrthod
cau	*berfenw*	agor
cau llygaid	*berfenw*	edrych
cawg	*enw*	padell
cawlio	*berfenw*	cymysgu
cawlio	*berfenw*	difetha
cecran	*berfenw*	ffraeo
cecru	*berfenw*	ffraeo
cedrwydden	*enw*	coeden
cefnder	*enw*	dyn
cefnfor	*enw*	dŵr
cefnffordd	*enw*	heol
cefnog	*ansoddair*	cyfoethog
cefnogi	*berfenw*	cefnogi
cefnogi	*berfenw*	gwasanaethu
cefnogi	*berfenw*	helpu
cefnu ar	*berfenw*	gadael
ceffyl brith	*ansoddair*	brith
cegin	*enw*	ystafell
ceibio	*berfenw*	agor
ceisio	*berfenw*	ceisio
ceisio	*berfenw*	cynnig
ceisio	*berfenw*	chwilio
cêl	*ansoddair*	cyfrinachol
celficyn	*enw*	darn
celfydd	*ansoddair*	taclus

celu	*berfenw*	cuddio
celynnen	*enw*	coeden
celwydd noeth	*ansoddair*	noeth
celwyddog	*ansoddair*	ffug
celwyddog	*ansoddair*	gwir
cellweirus	*ansoddair*	ffraeth
cenfaint	*enw*	grŵp
cenfigennus	*ansoddair*	eiddigeddus
cerdded	*berfenw*	cerdded
cerdded wrth fy mhwysau	*berfenw*	cerdded
cerddinen	*enw*	coeden
cerfio	*berfenw*	ffurfio
cerflun	*enw*	darlun
cernod	*enw*	ergyd
ceryddu	*berfenw*	ceryddu
ceryddu	*berfenw*	cosbi
cetyn	*enw*	darn
ciaidd	*ansoddair*	creulon
ciaidd	*ansoddair*	ffyrnig
cic	*enw*	ergyd
cicio	*berfenw*	bwrw
cilio	*berfenw*	cilio
cipio	*berfenw*	dwyn
ciwed	*enw*	grŵp
claddu	*berfenw*	cuddio
claerwyn	*ansoddair*	gloyw
claf	*ansoddair*	gwael
clau	*ansoddair*	cyflym
clebran	*berfenw*	sgwrsio
cledren	*enw*	ergyd
cledro	*berfenw*	bwrw
clefyd	*enw*	clefyd
clegar	*berfenw*	gweiddi
cleisio	*berfenw*	brifo
clem	*enw*	syniad
clên	*ansoddair*	caredig
clên	*ansoddair*	serchog
clindarddach	*enw*	twrw
clipio	*berfenw*	torri
clir	*ansoddair*	amlwg
clir	*ansoddair*	clir
clir	*ansoddair*	glân
clir	*ansoddair*	gloyw
clir	*ansoddair*	pendant
clir	*ansoddair*	plaen
clirio	*berfenw*	glanhau
clo	*enw*	diwedd
clociwr	*enw*	crefftwr
clochdar	*berfenw*	dweud
clochdar	*berfenw*	gweiddi
clod	*enw*	clod
clodfori	*berfenw*	edmygu
clodfori	*berfenw*	sarhau

clodwiw	*ansoddair*	da
cloddio	*berfenw*	agor
cloff	*ansoddair*	lletchwith
cloffi	*ansoddair*	ansicr
clogyrnaidd	*ansoddair*	lletchwith
clogyrnaidd	*ansoddair*	ffraeth
cloncian	*berfenw*	sgwrsio
clòs	*ansoddair*	agos
closio	*berfenw*	gwasgu
clou	*ansoddair*	cyflym
clust fain	*enw*	main
clusten	*enw*	ergyd
clwc	*ansoddair*	pwdr
clwyd	*enw*	llidiart
clwyf	*enw*	anaf
clwyfo	*berfenw*	brifo
clyd	*ansoddair*	anifail
clyd	*ansoddair*	cysurus
clyfar	*ansoddair*	ffraeth
clymu	*berfenw*	clymu
clymu	*berfenw*	plethu
clymu	*berfenw*	uno
clywed	*berfenw*	arogli
cneifio	*berfenw*	torri
cnepyn	*enw*	lwmpyn
cnoc	*enw*	ergyd
cnocio	*berfenw*	bwrw
cnoi	*berfenw*	pigo
cnud	*enw*	grŵp
coch	*ansoddair*	anifail
codi	*berfenw*	adeiladu
codi	*berfenw*	dringo
codi	*berfenw*	gosod
codi	*berfenw*	tyfu
codi	*berfenw*	cwympo
codi	*berfenw*	difetha
codi bwganod	*berfenw*	ofni
codi llaw	*berfenw*	chwifio
coeden	*enw*	coeden
coeg falchder	*ansoddair*	ffug
coel gwrach	*enw*	chwedl
coelio	*berfenw*	credu
coelio	*berfenw*	derbyn
coeth	*ansoddair*	pur
cof byw	*ansoddair*	ffres
Cofi	*enw*	Cymro
cofio	*berfenw*	dysgu
cofio	*berfenw*	gwybod
coffáu	*berfenw*	dathlu
coginio	*berfenw*	coginio
colbio	*berfenw*	bwrw
collen	*enw*	coeden
colli	*berfenw*	gwastraffu
colli	*berfenw*	darganfod

colli	*berfenw*	ennill
colli dagrau	*berfenw*	wylo
colli limpyn	*berfenw*	digio
comig	*ansoddair*	digrif
consurio	*berfenw*	perfformio
consuriwr	*enw*	dewin
copïo	*berfenw*	actio
côr	*enw*	grŵp
corddi llaeth	*berfenw*	cymysgu
corddi'r dyfroedd	*berfenw*	cymysgu
corlan	*enw*	cartref
coroni	*berfenw*	ennill
coroni	*enw*	seremoni
corwynt	*enw*	storm
cosbi	*berfenw*	ceryddu
cosbi	*berfenw*	cosbi
cosi	*berfenw*	crafu
costus	*ansoddair*	rhad
cracio	*berfenw*	torri
crafog	*ansoddair*	miniog
crafu	*berfenw*	crafu
crafu byw	*berfenw*	crafu
crafu pen	*berfenw*	crafu
craff	*ansoddair*	craff
craff	*ansoddair*	doeth
craff	*ansoddair*	miniog
craffu	*berfenw*	edrych
crai	*ansoddair*	ffres
crand	*ansoddair*	moethus
cras	*ansoddair*	caled
cras	*ansoddair*	cras
cras	*ansoddair*	sych
cras	*ansoddair*	llaith
crasu	*berfenw*	coginio
creadur	*enw*	anifail
crebachu	*berfenw*	gwywo
cred	*enw*	ffydd
credu	*berfenw*	credu
credu	*berfenw*	derbyn
crefu	*berfenw*	gofyn
crefydd	*enw*	ffydd
crefftwr	*enw*	crefftwr
creigiog	*ansoddair*	garw
creu	*berfenw*	adeiladu
creu	*berfenw*	ffurfio
creu	*berfenw*	difetha
creulon	*ansoddair*	brwnt
creulon	*ansoddair*	cas
creulon	*ansoddair*	creulon
creulon	*ansoddair*	ffyrnig
cribinio	*berfenw*	crafu
cribo	*berfenw*	chwilio
crimp	*ansoddair*	sych

crin	*ansoddair*	sych
crino	*berfenw*	gwywo
crio	*berfenw*	wylo
Cristnogaeth	*enw*	ffydd
criw	*enw*	grŵp
croch	*ansoddair*	cras
croch	*ansoddair*	swnllyd
crochenydd	*enw*	crefftwr
croen glandeg	*ansoddair*	ffres
croendenau	*ansoddair*	sensitif
croendew	*ansoddair*	tew
croesawgar	*ansoddair*	serchog
croesawu	*berfenw*	derbyn
crogi	*berfenw*	lladd
croglofft	*enw*	ystafell
cronfa	*enw*	casgliad
cronfa	*enw*	dŵr
cronni	*berfenw*	hel
croten	*enw*	ifanc
crotes	*enw*	ifanc
croyw	*ansoddair*	ffres
croyw	*ansoddair*	glân
croyw	*ansoddair*	gloyw
cruglwyth	*enw*	pentwr
crugyn	*enw*	casgliad
crugyn	*enw*	llawer
crugyn	*enw*	pentwr
crwca	*ansoddair*	cam
crwca	*ansoddair*	syth
crwt	*enw*	ifanc
crwtyn	*enw*	ifanc
crybwyll	*berfenw*	dweud
crychiog	*ansoddair*	garw
crydd	*enw*	crefftwr
cryf	*ansoddair*	anifail
cryf	*ansoddair*	cryf
cryf	*ansoddair*	ffit
cryf	*ansoddair*	iach
cryf	*ansoddair*	solet
cryf	*ansoddair*	gwan
cryf	*ansoddair*	ysgafn
cryfder	*enw*	nerth
cryfhau	*berfenw*	gwella
cryn dipyn	*enw*	llawer
crynhoi	*berfenw*	hel
crynhoi	*berfenw*	talfyrru
cryno	*ansoddair*	byr
crynu	*berfenw*	siglo
cudd	*ansoddair*	cyfrinachol
cuddiedig	*ansoddair*	cyfrinachol
cuddio	*berfenw*	cuddio
cuddio	*berfenw*	dangos
cuddio cannwyll dan lestr	*berfenw*	cuddio

cul	*ansoddair*	llydan
cur pen	*enw*	brifo
curo	*berfenw*	bwrw
curo	*berfenw*	ennill
cwato	*berfenw*	cuddio
cwblhau	*berfenw*	gorffen
cwdyn	*enw*	pecyn
cweryl	*dadl*	dadl
cweryla	*berfenw*	ffraeo
cwestiwn	*enw*	pwnc
cwffio	*berfenw*	ymladd
cwlffyn	*enw*	lwmpyn
cwmni	*enw*	grŵp
cwmwl	*enw*	niwl
cwpla	*berfenw*	gorffen
cwrdd	*berfenw*	cyfarfod
cwrdd	*enw*	gwasanaeth
cwrs	*ansoddair*	garw
cwrtais	*ansoddair*	da
cwt	*enw*	anaf
cwt	*enw*	diwedd
cwt	*enw*	cartref
cwta	*ansoddair*	byr
cwta	*ansoddair*	hir
cwtogi	*berfenw*	talfyrru
cwtsh dan staer	*enw*	ystafell
cwympo	*berfenw*	cwympo
cwympo	*berfenw*	disgyn
cwympo ar fy mai	*berfenw*	cwympo
cwympo mas	*berfenw*	ffraeo
cwympo rhwng dwy stôl	*berfenw*	cwympo
cwyno	*berfenw*	achwyn
cwyno	*berfenw*	dweud
cybyddlyd	*ansoddair*	hael
cychwyn	*berfenw*	dechrau
cychwyn	*enw*	diwedd
cychwyn	*berfenw*	gorffen
cydbwyso	*berfenw*	trafod
cyd-fynd	*berfenw*	cytuno
cydio	*berfenw*	clymu
cydio	*berfenw*	glynu
cydio	*berfenw*	uno
cydio	*berfenw*	gollwng
cydnabod	*berfenw*	cyfaddef
cydnabod	*berfenw*	derbyn
cydnerth	*ansoddair*	cryf
cydsynio	*berfenw*	cytuno
cydsynio	*gadael*	gadael
cyd-weld	*berfenw*	cytuno
cyfaddef	*berfenw*	cyfaddef
cyfaddef	*berfenw*	derbyn

cyfaill	*enw*	cyfaill
cyfaill pawb cyfaill neb		
	enw	cyfaill
cyfan	*ansoddair*	llawn
cyfansoddi	*berfenw*	ffurfio
cyfansoddi	*berfenw*	gwneud
cyfansoddi	*berfenw*	dweud
cyfarch	*berfenw*	dweud
cyfaredd	*enw*	hud
cyfareddwr	*enw*	dewin
cyfarfod	*berfenw*	cyfarfod
cyfarfod	*enw*	seremoni
cyfarth	*berfenw*	gweiddi
cyfarwydd	*ansoddair*	dieithr
cyfeillgar	*ansoddair*	caredig
cyfeillgar	*ansoddair*	serchog
cyfeirio	*berfenw*	pwyntio
cyfiawnhâd	*enw*	rheswm
cyflawn	*ansoddair*	llawn
cyflawni	*berfenw*	gwneud
cyflogi	*berfenw*	talu
cyflwr	*enw*	safon
cyflwyno	*berfenw*	adrodd
cyflwyno	*berfenw*	dweud
cyflwyno	*berfenw*	perfformio
cyflwyno	*berfenw*	rhoi
cyflym	*ansoddair*	cyflym
cyflym	*ansoddair*	araf
cyflymu	*berfenw*	brysio
cyflymu	*berfenw*	oedi
cyfnewid	*berfenw*	newid
cyfnither	*enw*	dynes
cyfnod	*enw*	amser
cyfoes	*ansoddair*	newydd
cyfoeth	*enw*	trysor
cyfoethog	*ansoddair*	cyfoethog
cyfoethog	*ansoddair*	moethus
cyfoethog	*ansoddair*	llwm
cyfoethog	*ansoddair*	tlawd
cyforiog	*ansoddair*	llawn
cyfraith	*enw*	rheol
cyfrannu	*berfenw*	rhoi
cyfres	*enw*	rhes
cyfrifoldeb	*enw*	bai
cyfrin	*ansoddair*	cyfrinachol
cyfrinachol	*ansoddair*	cyfrinachol
cyfrwys	*ansoddair*	anifail
cyfuno	*berfenw*	cymysgu
cyfuno	*berfenw*	uno
cyfyng	*ansoddair*	eang
cyfyng	*ansoddair*	llydan
cyffesu	*berfenw*	cyfaddef
cyffredin	*ansoddair*	cyffredin
cyffredin	*ansoddair*	plaen
cyffredin	*ansoddair*	arbennig
cyffredin	*ansoddair*	hynod
cyffredin	*ansoddair*	prin
cyffredin	*ansoddair*	rhyfedd
cyffro	*enw*	helynt
cyffrous	*ansoddair*	cyffrous
cyffyrddus	*ansoddair*	cysurus
cyffyrddus	*ansoddair*	esmwyth
cyffyrddus	*ansoddair*	moethus
cynghori	*berfenw*	rhybuddio
cyngor	*enw*	grŵp
cyhoeddi	*berfenw*	dweud
cyhoeddi	*berfenw*	taenu
cyhoeddus	*ansoddair*	cyfrinachol
cyhuddo	*berfenw*	dweud
cyhuddo	*berfenw*	beio
cyhuddo ar gam		
	ansoddair	ffug
cyhwfan	*berfenw*	chwifio
cyhwfan	*berfenw*	ysgwyd
cyhyrog	*ansoddair*	cryf
cylch	*enw*	grŵp
cymanfa	*enw*	grŵp
cymar	*enw*	cyfaill
cymdogol	*ansoddair*	serchog
cymedrol	*ansoddair*	gweddol
cymell	*berfenw*	perswadio
cymen	*ansoddair*	taclus
cymeradwyo	*berfenw*	cefnogi
cymhleth	*ansoddair*	dyrys
cymhlethdod	*enw*	problem
cymhlethu	*berfenw*	egluro
cymodi	*berfenw*	ffraeo
cymorth	*enw*	gwasanaeth
Cymraes	*enw*	Cymro
Cymro	*enw*	Cymro
Cymru	*enw*	Cymru
cymryd	*berfenw*	derbyn
cymryd	*berfenw*	dwyn
cymryd arno	*berfenw*	actio
cymryd arni	*berfenw*	actio
cymryd gofal	*berfenw*	gofalu
cymryd hoe	*berfenw*	gorffwys
cymryd y goes	*berfenw*	dianc
cymwynasgar	*ansoddair*	caredig
cymwynasgar	*ansoddair*	da
cymysgu	*berfenw*	cymysgu
cyn bo hir	*ansoddair*	amser
cyn pen dim	*ansoddair*	amser
cyn wired â phader		
	ansoddair	gwir
cyndyn	*ansoddair*	ystyfnig
cynddeiriog	*ansoddair*	ffyrnig
cynddeiriog	*ansoddair*	gwyllt

cynddeiriogi	*berfenw*	digio
cynffon	*enw*	diwedd
cynharaf	*ansoddair*	gwreiddiol
cynhenna	*berfenw*	ffraeo
cynhesu	*berfenw*	oeri
cynhwysfawr	*ansoddair*	llawn
cynhyrfus	*ansoddair*	cyffrous
cynilo	*berfenw*	gwastraffu
cynllun	*enw*	patrwm
cynllunio	*berfenw*	gwneud
cynllunio	*berfenw*	paratoi
cynnau	*berfenw*	dechrau
cynnau	*berfenw*	tanio
cynnes	*ansoddair*	anifail
cynnes	*ansoddair*	braf
cynnes	*ansoddair*	poeth
cynnes	*ansoddair*	oer
cynnig	*berfenw*	ceisio
cynnig	*berfenw*	cynnig
cynnig	*enw*	ymdrech
cynnig dros ysgwydd	*ansoddair*	ffug
cynnwrf	*enw*	helynt
cynnwrf	*enw*	terfysg
cynnwrf	*enw*	twrw
cynnwys	*berfenw*	cynnwys
cynorthwyo	*berfenw*	cefnogi
cynorthwyo	*berfenw*	gwasanaethu
cynorthwyo	*berfenw*	helpu
cyntaf	*ansoddair*	gorau
cyntaf	*ansoddair*	gwreiddiol
cyntedd	*enw*	ystafell
cynulleidfa	*enw*	grŵp
cynyddu	*berfenw*	tyfu
cynyddu	*berfenw*	talfyrru
cyplysu	*berfenw*	uno
cyrch	*enw*	taith
cyrraedd	*berfenw*	gadael
cysgodi	*berfenw*	cuddio
cysgodi	*berfenw*	cysgodi
cysidro	*berfenw*	trafod
cystadleuaeth	*enw*	cystadleuaeth
cystadlu	*berfenw*	chwarae
cysurus	*ansoddair*	cysurus
cysurus	*ansoddair*	esmwyth
cytundeb	*enw*	dadl
cytuno	*berfenw*	cytuno
cytuno	*berfenw*	derbyn
cytuno	*berfenw*	dweud
cytuno	*berfenw*	dadlau
cythreulig	*ansoddair*	ofnadwy
cythruddo	*berfenw*	digio
cythrwfl	*enw*	helynt
cythrwfl	*enw*	twrw

cyw	*enw*	baban
cywain	*berfenw*	hel
cywilydd	*enw*	euog
cywir	*ansoddair*	cywir
cywir	*ansoddair*	gwir
cywir	*ansoddair*	iawn
cywir	*ansoddair*	perffaith
cywir	*ansoddair*	anghywir
cywiro	*berfenw*	gwella
cywrain	*ansoddair*	hardd

Ch

chwaer	*enw*	dynes
chwaethus	*ansoddair*	hardd
chwalfa	*enw*	casgliad
chwalu	*berfenw*	chwalu
chwalu	*berfenw*	gwasgaru
chwalu	*berfenw*	pydru
chwalu	*berfenw*	rhannu
chwalu	*berfenw*	torri
chwalu	*berfenw*	adeiladu
chwalu	*berfenw*	ffurfio
chwalu	*berfenw*	uno
chwalu niwl â ffon	*ansoddair*	amhosibl
chwalu niwl â ffon	*berfenw*	chwalu
chwant	*enw*	hiraeth
chwarae	*berfenw*	actio
chwarae	*berfenw*	chwarae
chwarae â thân	*berfenw*	chwarae
chwarae castiau	*berfenw*	twyllo
chwarae gêmau	*berfenw*	twyllo
chwarae teg!	*berfenw*	chwarae
chwarae'n troi'n chwerw	*berfenw*	chwarae
chwarelwr	*enw*	crefftwr
chwareus	*ansoddair*	ysgafn
chwedl	*enw*	chwedl
chwedl Mrs Jones	*enw*	chwedl
chwedlonol	*ansoddair*	enwog
chwerthin	*berfenw*	wylo
chwerw	*ansoddair*	chwerw
chwerw	*ansoddair*	sur
chwerw	*ansoddair*	melys
chwifio	*berfenw*	chwifio
chwifio	*berfenw*	siglo
chwifio	*berfenw*	ysgwyd
chwilboeth	*ansoddair*	poeth

chwilio	*berfenw*	chwilio
chwilio a chwalu	*berfenw*	chwilio
chwilota	*berfenw*	chwilio
chwim	*ansoddair*	anifail
chwim	*ansoddair*	sionc
chwim	*ansoddair*	cyflym
chwimwth	*ansoddair*	cyflym
chwipio	*berfenw*	bwrw
chwistrellu	*berfenw*	gwasgaru
chwiw	*enw*	syniad
chwyldroadol	*ansoddair*	newydd
chwyldroi	*berfenw*	newid
chwyldröwr	*enw*	rebel
chwyrn	*ansoddair*	ffyrnig
chwyrn	*ansoddair*	gwyllt
chwysu	*berfenw*	gweithio
chwythu	*berfenw*	chwifio

D

da	*ansoddair*	bendigedig
da	*ansoddair*	da
da	*ansoddair*	doeth
da	*ansoddair*	gonest
da	*ansoddair*	gwych
da	*ansoddair*	iach
da	*ansoddair*	drwg
da bo chi	*ansoddair*	da
da i ddim	*ansoddair*	llesol
da iawn	*ansoddair*	iawn
da o beth	*ansoddair*	llesol
dadfeilio	*ansoddair*	gwaethygu
dadflino	*berfenw*	gorffwys
dadflino	*berfenw*	ymlacio
dadl	*enw*	dadl
dadlaith	*berfenw*	diflannu
dadlaith	*berfenw*	meirioli
dadlapio	*berfenw*	lapio
dadlau	*berfenw*	dadlau
dadlau	*berfenw*	ffraeo
dadmer	*berfenw*	diflannu
dadmer	*berfenw*	meirioli
dad-wneud	*berfenw*	gwneud
dafn	*enw*	dŵr
dangos	*berfenw*	dangos
dangos	*berfenw*	dweud
dangos	*berfenw*	egluro
dangos	*berfenw*	pwyntio
dangos	*berfenw*	cuddio
dangos fy wyneb	*enw*	wyneb
dangos ochr	*berfenw*	dangos
daioni	*ansoddair*	lles
dal	*berfenw*	cynnwys
dal ati	*berfenw*	para
dal dig	*berfenw*	digio
dal i	*berfenw*	para
dal sylw	*berfenw*	denu
dall	*ansoddair*	anifail
dameg	*enw*	chwedl
damsang	*berfenw*	cerdded
damweiniol	*ansoddair*	damweiniol
dan sang	*ansoddair*	llawn
danfon	*berfenw*	anfon
danfon	*berfenw*	danfon
danheddog	*ansoddair*	pigog
dannedd dodi	*ansoddair*	ffug
dannedd gosod	*ansoddair*	ffug
dannodd	*enw*	brifo
dansierus	*ansoddair*	peryglus
darbwyllo	*berfenw*	perswadio
darfod	*berfenw*	diflannu
darfod	*berfenw*	pallu
darganfod	*berfenw*	darganfod
darganfod	*berfenw*	dysgu
darlun	*enw*	darlun
darlunio	*berfenw*	dangos
darlledu	*berfenw*	dangos
darn	*enw*	darn
darnio	*berfenw*	torri
darogan	*berfenw*	proffwydo
darparu	*berfenw*	cynnwys
darparu	*berfenw*	paratoi
datblygu	*berfenw*	adeiladu
datblygu	*berfenw*	tyfu
datgan	*berfenw*	adrodd
datgan	*berfenw*	dweud
datganiad	*enw*	sylw
datgelu	*berfenw*	cyfaddef
datgelu	*berfenw*	dangos
datgelu	*berfenw*	dweud
datgelu	*berfenw*	cuddio
datgloi	*berfenw*	agor
datglymu	*berfenw*	agor
datglymu	*berfenw*	clymu
datglymu	*berfenw*	plethu
datguddio	*berfenw*	dangos
datod	*berfenw*	agor
datod	*berfenw*	clymu
datod	*berfenw*	plethu
datrys	*berfenw*	egluro
dathlu	*berfenw*	dathlu
dathlu	*berfenw*	dathlu
dau ddwbl a phlet	*ansoddair*	cam
dawnsio	*berfenw*	perfformio

dawnus *ansoddair* da
dawnus *ansoddair* galluog
deall *berfenw* credu
deall *berfenw* darganfod
deall *berfenw* deall
deall *berfenw* dysgu
deall *berfenw* gweld
deall *berfenw* gwybod
deall *berfenw* camddeall
deallus *ansoddair* doeth
dechrau *berfenw* dechrau
dechrau *enw* diwedd
dechrau *berfenw* gorffen
dedwydd *ansoddair* hapus
deddf *enw* rheol
defnyddio *berfenw* defnyddio
defnyddiol *ansoddair* defnyddiol
defnyn *enw* dŵr
defod *enw* seremoni
deheuig *ansoddair* da
deheuig *ansoddair* galluog
dehongli *berfenw* egluro
deilen ir *ansoddair* ffres
del *ansoddair* pert
delfrydol *ansoddair* perffaith
delw *enw* darlun
delwedd *enw* darlun
deniadol *ansoddair* pert
denu *berfenw* denu
derbyn *berfenw* credu
derbyn *berfenw* cyfaddef
derbyn *berfenw* derbyn
derbyn *berfenw* dioddef
derbyn *berfenw* anfon
derbyn *berfenw* gwrthod
derbyn *berfenw* rhoi
derbynfa *enw* ystafell
dernyn *enw* darn
derwen *enw* coeden
derwydd *enw* dewin
destlus *ansoddair* taclus
dethol *berfenw* dewis
dethol *berfenw* pigo
detholiad *enw* casgliad
deuparth gwaith ei ddechrau *enw* gwaith
dewin *enw* dewin
dewin byd y bêl *enw* dewin
dewin dŵr *enw* dewin
dewines *enw* gwrach
dewiniaeth *enw* hud
dewis *berfenw* dewis
dewis *berfenw* dymuno
dewis *berfenw* penderfynu

dewis *berfenw* pigo
dewis *berfenw* gorfodi
dewis a dethol *berfenw* dewis
dewr *ansoddair* dewr
dewr *ansoddair* nerfus
diadell *enw* grŵp
diaddurn *ansoddair* noeth
diaddurn *ansoddair* plaen
diafael *ansoddair* llac
diagram *enw* darlun
di-ail *ansoddair* gorau
dianaf *ansoddair* iach
dianc *berfenw* cilio
dianc *berfenw* dianc
diarhebol *ansoddair* enwog
di-awch *ansoddair* miniog
diben *enw* rheswm
dibennu *berfenw* gorffen
di-boen *ansoddair* poenus
dibrofiad *ansoddair* newydd
dibwys *ansoddair* difrifol
dibwys *ansoddair* pwysig
di-dal *ansoddair* anifail
dideimlad *ansoddair* sensitif
diderfyn *ansoddair* eang
didoli *berfenw* rhannu
di-dor *ansoddair* hir
didoreth *ansoddair* esgeulus
didrafferth *ansoddair* esmwyth
di-drefn *ansoddair* anniben
di-droi'n ôl *ansoddair* ystyfnig
didrugaredd *ansoddair* creulon
didwyll *ansoddair* gonest
diddanu *berfenw* diddanu
diddig *ansoddair* hapus
diddiwedd *ansoddair* hir
diddori *berfenw* diddanu
diddorol *ansoddair* diddorol
diddorol *ansoddair* anniddorol
di-ddweud *ansoddair* tawel
diengyd *berfenw* dianc
dieithr *ansoddair* dieithr
dienyddio *berfenw* cosbi
dienyddio *berfenw* lladd
dieuog *ansoddair* euog
difa *berfenw* difetha
difa *berfenw* lladd
di-fai *ansoddair* perffaith
di-fai *ansoddair* pur
di-fudd *ansoddair* defnyddiol
difeddwl *ansoddair* esgeulus
diferyn *enw* darn
diferyn *enw* dŵr
diferyn *ansoddair* ychydig

difetha	*berfenw*	difetha
diflannu	*berfenw*	cilio
diflannu	*berfenw*	dianc
diflannu	*berfenw*	diflannu
diflannu	*berfenw*	meirioli
diflannu fel iâr i ddodwy	*berfenw*	diflannu
diflas	*ansoddair*	anniddorol
diflas	*ansoddair*	braf
diflas	*ansoddair*	da
diflas	*ansoddair*	diddorol
diflas	*ansoddair*	hyfryd
di-flas	*ansoddair*	blasus
diflastod	*enw*	pleser
diflasu	*berfenw*	diddanu
diflasu	*berfenw*	mwynhau
diflewyn ar dafod	*ansoddair*	plaen
difrifol	*ansoddair*	difrifol
difrifol	*ansoddair*	digrif
difrïo	*berfenw*	sarhau
difrod	*enw*	niwed
difrodi	*berfenw*	ffurfio
difrycheulyd	*ansoddair*	perffaith
difrycheulyd	*ansoddair*	pur
di-fudd	*ansoddair*	defnyddiol
difwyno	*berfenw*	glanhau
difyr	*ansoddair*	anniddorol
difyr	*ansoddair*	da
difyr	*ansoddair*	diddorol
difyrru	*berfenw*	diddanu
diffaith	*ansoddair*	gwyllt
diffaith	*ansoddair*	llwm
di-fflach	*ansoddair*	anniddorol
diffodd	*berfenw*	tanio
di-ffrwt	*ansoddair*	anniddorol
diffuant	*ansoddair*	gonest
diffyg	*enw*	eisiau
diffyg	*enw*	prinder
digalon	*ansoddair*	hapus
digalon	*ansoddair*	siomedig
digalon	*ansoddair*	trist
digalonni	*berfenw*	gobeithio
digio	*berfenw*	digio
digio	*berfenw*	pwdu
digon o farn	*enw*	barn
digon oer i sythu brain	*ansoddair*	oer
digonedd	*enw*	prinder
digrif	*ansoddair*	digrif
digrif	*ansoddair*	ffraeth
di-grych	*ansoddair*	llyfn
digwyddiad	*enw*	seremoni
digychwyn	*ansoddair*	diog
digyfnewid	*ansoddair*	perffaith
digyffro	*ansoddair*	tawel
digyffro	*ansoddair*	llonydd
disymud	*ansoddair*	llonydd
di-hid	*ansoddair*	esgeulus
di-hwyl	*ansoddair*	isel
dihyder	*ansoddair*	nerfus
dilorni	*berfenw*	sarhau
di-lun	*ansoddair*	anniben
dilledyn	*enw*	darn
dim problem	*enw*	problem
dim yn ffôl	*ansoddair*	ffôl
dim yn gweld ymhellach na'i drwyn	*berfenw*	gweld
di-nam	*ansoddair*	perffaith
dinistrio	*berfenw*	difetha
dinistrio	*berfenw*	lladd
dinistriol	*ansoddair*	peryglus
diniwed	*ansoddair*	anifail
diod gadarn	*ansoddair*	cadarn
dioddef	*berfenw*	dioddef
diofal	*ansoddair*	esgeulus
diofal	*ansoddair*	llac
di-ofn	*ansoddair*	dewr
diog	*ansoddair*	diog
diogel	*ansoddair*	diogel
diogel	*ansoddair*	peryglus
diogelu	*berfenw*	achub
diogelu	*berfenw*	gofalu
diogi	*enw*	gwaith
diogi	*berfenw*	gweithio
diolau	*ansoddair*	tywyll
diolchgar	*ansoddair*	balch
diolwg	*ansoddair*	pert
di-raen	*ansoddair*	gwael
dirdynnol	*ansoddair*	poenus
direidus	*ansoddair*	digrif
dirgel	*ansoddair*	cyfrinachol
dirgrynu	*berfenw*	siglo
dirgrynu	*berfenw*	ysgwyd
dirmygu	*berfenw*	sarhau
dirmygu	*berfenw*	edmygu
dirwyn i ben	*berfenw*	gorffen
dirwyo	*berfenw*	cosbi
dirywio	*berfenw*	gwaethygu
disglair	*ansoddair*	gloyw
disgleirio	*berfenw*	disgleirio
disgleirio	*berfenw*	fflachio
disgrifio	*berfenw*	egluro
disgwyl	*berfenw*	aros
disgwyl	*berfenw*	edrych
disgwyl	*berfenw*	gobeithio
disgyblu	*berfenw*	ceryddu
disgyblu	*berfenw*	cosbi

disgyn	*berfenw*	cwympo
disgyn	*berfenw*	disgyn
disgyn	*berfenw*	dringo
disgyn ar fy nhraed	*berfenw*	disgyn
distaw	*ansoddair*	anifail
distaw	*ansoddair*	llonydd
distaw	*ansoddair*	tawel
distawrwydd	*enw*	distawrwydd
distawrwydd	*enw*	twrw
distewi	*berfenw*	dweud
distewi	*berfenw*	sgwrsio
distrywio	*berfenw*	chwalu
distrywio	*berfenw*	gwneud
disymud	*ansoddair*	llonydd
disymwth	*ansoddair*	cyflym
disynnwyr	*ansoddair*	ffôl
disynnwyr	*ansoddair*	gwirion
di-wardd	*ansoddair*	drwg
diwedd	*enw*	diwedd
diwedd y gân yw'r geiniog	*enw*	diwedd
diweddglo	*enw*	diwedd
diweddu	*berfenw*	gorffen
diweithdra	*enw*	gwaith
diwerth	*ansoddair*	gwael
diwerth	*ansoddair*	defnyddiol
diwerth	*ansoddair*	gwerthfawr
diwrnod	*enw*	diwrnod
diwrnod i'r brenin	*enw*	diwrnod
diwyd	*ansoddair*	anifail
diwyd	*ansoddair*	prysur
diwygio	*berfenw*	gwella
diwyro	*ansoddair*	syth
diymdroi	*ansoddair*	syth
diymhongar	*ansoddair*	swil
diystyru	*berfenw*	dathlu
dod	*berfenw*	gadael
dod ar draws	*berfenw*	darganfod
dod i ben	*berfenw*	llwyddo
dod i'r casgliad	*berfenw*	penderfynu
dod o hyd i	*berfenw*	darganfod
dod wyneb yn wyneb â	*berfenw*	cyfarfod
dod yn gyfarwydd â	*berfenw*	ymarfer
dod yn rhydd	*berfenw*	dianc
dodi	*berfenw*	gosod
dodrefnyn	*enw*	darn
doe	*enw*	diwrnod
does dim dadl	*berfenw*	dadl
does gen i gynnig i'r dyn	*berfenw*	cynnig
doeth	*ansoddair*	craff
doeth	*ansoddair*	doeth
doeth	*ansoddair*	ffôl
doeth	*ansoddair*	gwirion
dof	*ansoddair*	gwyllt
dolennu	*berfenw*	plethu
dolur	*enw*	anaf
dolur	*enw*	clefyd
dolur	*enw*	niwed
dolurio	*berfenw*	brifo
doniol	*ansoddair*	digrif
doniol	*ansoddair*	ffraeth
dotio ar	*berfenw*	mwynhau
drachtio	*berfenw*	yfed
drewdod	*enw*	arogl
drewi	*berfenw*	arogli
dringo	*berfenw*	dringo
dringo	*berfenw*	disgyn
dros ben	*ansoddair*	sbâr
drud	*ansoddair*	gwerthfawr
drud	*ansoddair*	moethus
drud	*ansoddair*	rhad
drwg	*ansoddair*	drwg
drwg	*enw*	niwed
drwg	*ansoddair*	pwdr
drwg	*ansoddair*	cas
drwg	*ansoddair*	braf
drwg	*ansoddair*	da
drwg	*ansoddair*	lles
drwg yn y caws	*enw*	problem
drwgdybio	*berfenw*	amau
drycin	*enw*	storm
drygionus	*ansoddair*	drwg
dryllio	*berfenw*	chwalu
dryllio	*berfenw*	torri
dryslyd	*ansoddair*	dyrys
drysu	*berfenw*	cymysgu
drysu	*berfenw*	difetha
du	*ansoddair*	anifail
du	*ansoddair*	tywyll
dull	*enw*	ffordd
dweud	*berfenw*	dangos
dweud	*berfenw*	dweud
dweud	*berfenw*	proffwydo
dweud a dweud	*berfenw*	dweud
dweud celwydd	*berfenw*	twyllo
dweud ei farn	*enw*	barn
dweud wrth	*berfenw*	rhybuddio
dweud y drefn	*berfenw*	ceryddu
dweud y drefn	*berfenw*	dweud
dwl	*ansoddair*	ffôl
dwl	*ansoddair*	gwirion
dwli	*ansoddair*	lol
dwlu	*berfenw*	mwynhau

dwlu ar *berfenw* caru
dŵr *enw* dŵr
dŵr croyw *ansoddair* ffres
dŵr dan y bont *enw* dŵr
dwrdio *berfenw* ceryddu
dwyn *berfenw* denu
dwyn *berfenw* dwyn
dwyn perswâd *berfenw* perswadio
dwyn pwysau *berfenw* gwasgu
dwyno *berfenw* glanhau
dwys *ansoddair* difrifol
dybryd *ansoddair* difrifol
dychmygol *ansoddair* ffug
dychmygu *berfenw* gweld
dychmygus *ansoddair* gwreiddiol
dychryn *enw* ofn
dychrynllyd *ansoddair* ofnadwy
dydd *enw* diwrnod
dydd *enw* dydd
dydd Calan *enw* dydd
dydd Calan Gaeaf *enw* dydd
dydd Calan Mai *enw* dydd
dydd Ffŵl Ebrill *enw* dydd
dydd Gŵyl Andras *enw* dydd
dydd Gŵyl Dewi *enw* dydd
dydd Gŵyl Ifan *enw* dydd
dydd Gŵyl Padrig *enw* dydd
dydd Gŵyl San Siôr *enw* dydd
dydd Nadolig *enw* dydd
dydd San Ffolant *enw* dydd
dydd San Steffan *enw* dydd
dydd Santes Dwynwen *enw* dydd
dydd Sul y pys *enw* dydd
dyfais *enw* teclyn
dyfal *ansoddair* prysur
dyfalu *berfenw* dweud
dyfarnu *berfenw* beirniadu
dyfarnu *berfenw* penderfynu
dyfeisio *berfenw* ffurfio
dyhead *enw* hiraeth
dyheu am *berfenw* dymuno
dylanwadol *ansoddair* pwysig
dylifo *berfenw* arllwys
dylifo *berfenw* llifo
dymuniad *enw* eisiau
dymuno *berfenw* dewis
dymuno *berfenw* dymuno
dymuno *berfenw* gobeithio
dymunol *ansoddair* annwyl
dymunol *ansoddair* braf
dymunol *ansoddair* da
dymunol *ansoddair* hyfryd
dymunol *ansoddair* cas
dyn *enw* dyn
dyn *enw* gŵr
dyn hysbys *enw* dewin
dynes *enw* dynes
dynes *enw* gwraig
dynodi *berfenw* pwyntio
dynwared *berfenw* actio
dyrnaid *ansoddair* ychydig
dyrnod *enw* ergyd
dyrys *ansoddair* dyrys
dysgedig *ansoddair* doeth
dysgl *enw* padell
dysgu *berfenw* dysgu
dysgu *berfenw* ymarfer
dysgu pader i berson *berfenw* dysgu
dywediad *enw* sylw

Dd

ddoe *enw* diwrnod

E

eang *ansoddair* braf
eang *ansoddair* eang
eang *ansoddair* llydan
ebe *berfenw* dweud
ebol *enw* baban
e-bost *enw* neges
ebychu *berfenw* dweud
echdoe *enw* diwrnod
echrydus *ansoddair* ofnadwy
edmygu *berfenw* edmygu
edmygu *berfenw* hoffi
edrych *berfenw* edrych
edrych ar ôl rhywun neu rywbeth *berfenw* edrych
edrych i fyw llygaid rhywun *berfenw* chwilio
edrych yn gam ar *ansoddair* cam
edwino *berfenw* gwywo

efelychu	*berfenw*	actio
effaith	*enw*	ôl
effeithiol	*ansoddair*	defnyddiol
egino	*berfenw*	tyfu
eglur	*ansoddair*	amlwg
eglur	*ansoddair*	clir
eglur	*ansoddair*	pendant
eglur	*ansoddair*	plaen
egluro	*berfenw*	dangos
egluro	*berfenw*	dweud
egluro	*berfenw*	egluro
eglwys	*enw*	ficer
egni	*enw*	nerth
egni	*enw*	ymdrech
egnïol	*ansoddair*	caled
egr	*ansoddair*	chwerw
egr	*ansoddair*	sur
ehangu	*berfenw*	tyfu
ehangu	*berfenw*	talfyrru
ei bachu hi o 'ma	*berfenw*	dianc
ei gloywi hi	*berfenw*	dianc
ei gwadnu hi	*berfenw*	dianc
ei gwanu hi	*berfenw*	dianc
ei heglu hi	*berfenw*	dianc
ei methu hi	*ansoddair*	anghywir
eiddgar	*ansoddair*	brwd
eiddigeddus	*ansoddair*	eiddigeddus
eilio	*berfenw*	cefnogi
eirias	*ansoddair*	poeth
eisiau	*berfenw*	dymuno
eisiau	*enw*	eisiau
eistedd	*berfenw*	gorffwys
eisteddfod	*enw*	cystadleuaeth
eithaf	*ansoddair*	gweddol
eithriadol	*ansoddair*	arbennig
eithriadol o dda	*ansoddair*	gwych
elwa	*berfenw*	ennill
enbyd	*ansoddair*	difrifol
enbyd	*ansoddair*	peryglus
ennill	*berfenw*	derbyn
ennill	*berfenw*	ennill
ennill pwysau	*berfenw*	ennill
ennyd	*enw*	amser
ennyn	*berfenw*	tanio
enwi	*berfenw*	dewis
enwog	*ansoddair*	amlwg
enwog	*ansoddair*	enwog
eofn	*ansoddair*	dewr
eofn	*ansoddair*	mentrus
erchyll	*ansoddair*	creulon
erchyll	*ansoddair*	ofnadwy
erfyn	*enw*	teclyn
ergyd	*enw*	ergyd
ergyd	*enw*	sioc
ergydio	*berfenw*	bwrw
ergydio	*berfenw*	tanio
ers meitin	*enw*	amser
esboniad	*enw*	rheswm
esbonio	*berfenw*	dangos
esbonio	*berfenw*	egluro
esgeulus	*ansoddair*	esgeulus
esgeulus	*ansoddair*	llac
esgeulus	*ansoddair*	gofalus
esgeuluso	*berfenw*	gofalu
esgob	*enw*	ficer
esgor ar	*berfenw*	geni
esgus annwyd	*ansoddair*	ffug
esgus bod	*berfenw*	actio
esgyn	*berfenw*	dringo
esiampl	*enw*	patrwm
esmwyth	*ansoddair*	cysurus
esmwyth	*ansoddair*	esmwyth
esmwyth	*ansoddair*	llyfn
esmwyth	*ansoddair*	tyner
esmwyth	*ansoddair*	garw
esmwyth	*ansoddair*	pigog
esmwyth	*ansoddair*	poenus
esmwytho	*berfenw*	crafu
estron	*ansoddair*	dieithr
estyn	*berfenw*	agor
estyn	*berfenw*	pwyntio
estyn	*berfenw*	taflu
ethol	*berfenw*	dewis
etholiad	*enw*	cystadleuaeth
euog	*ansoddair*	euog
ewynnu	*berfenw*	byrlymu
ewythr	*enw*	dyn

F

fel dŵr ar gefn hwyaden	*enw*	dŵr
fel ffair	*ansoddair*	prysur
fel rheol	*ansoddair*	rheol
fel lladd nadroedd	*ansoddair*	prysur
fel perfedd moch	*ansoddair*	dyrys
fel y crafa'r iâr y piga'r cyw	*berfenw*	crafu
ficer	*enw*	ficer
fy machgen glân i	*ansoddair*	glân

Ff

ffacs	*enw*	neges
ffaith	*ansoddair*	gwir
ffaith	*enw*	chwedl
ffantasi	*enw*	chwedl
ffarwelio	*berfenw*	chwifio
ffarwelio	*berfenw*	gadael
ffasiwn	*enw*	patrwm
ffau	*enw*	cartref
ffawydden	*enw*	coeden
ffein	*ansoddair*	blasus
ffeind	*ansoddair*	caredig
ffeindio	*berfenw*	darganfod
ffeirio	*berfenw*	newid
ffel	*ansoddair*	annwyl
fferru	*berfenw*	oeri
ffiaidd	*ansoddair*	brwnt
ffiaidd	*ansoddair*	cas
ffiaidd	*ansoddair*	creulon
ffin	*enw*	diwedd
ffin	*enw*	ffin
ffit	*ansoddair*	ffit
ffit	*ansoddair*	iach
fflach	*enw*	golau
fflachio	*berfenw*	fflachio
fflachlamp	*enw*	lamp
fflamio	*berfenw*	tanio
fflat	*ansoddair*	gwastad
ffodus	*ansoddair*	anffodus
ffodus	*ansoddair*	ffodus
ffoi	*berfenw*	cilio
ffoi	*berfenw*	dianc
ffôl	*ansoddair*	ffôl
ffôl	*ansoddair*	gwirion
ffôl	*ansoddair*	doeth
ffonio	*berfenw*	galw
fforchio	*berfenw*	rhannu
ffordd	*enw*	ffordd
ffordd	*enw*	heol
fforddio	*berfenw*	talu
ffortiwn	*enw*	trysor
ffortunus	*ansoddair*	ffodus
ffotograff	*enw*	darlun
ffrae	*enw*	dadl
ffraeo	*berfenw*	dadlau
ffraeo	*berfenw*	ffraeo
ffraeth	*ansoddair*	digrif
ffraeth	*ansoddair*	ffraeth
ffres	*ansoddair*	ffres
ffres	*ansoddair*	gwreiddiol
ffres	*ansoddair*	ifanc
ffres	*ansoddair*	newydd
ffreutur	*enw*	ystafell
ffrind	*enw*	cyfaill
ffrio	*berfenw*	coginio
ffroeni	*berfenw*	arogli
ffroenuchel	*ansoddair*	balch
ffrwcs	*enw*	sbwriel
ffrwd	*enw*	dŵr
ffrydio	*berfenw*	llifo
ffug	*ansoddair*	ffug
ffug	*ansoddair*	gwir
ffug basio	*ansoddair*	ffug
ffugio	*berfenw*	actio
ffurf	*enw*	patrwm
ffurfio	*berfenw*	ffurfio
ffwdan	*enw*	ffwdan
ffwdan	*enw*	helynt
ffwlbri	*ansoddair*	lol
ffwndro	*berfenw*	cymysgu
ffwrdd â hi	*ansoddair*	pwysig
ffŷs	*enw*	ffwdan
ffydd	*enw*	ffydd
ffyddlon	*ansoddair*	anifail
ffynnon	*enw*	dŵr
ffynnu	*berfenw*	llwyddo
ffyrnig	*ansoddair*	creulon
ffyrnig	*ansoddair*	ffyrnig
ffyrnig	*ansoddair*	gwyllt

G

gadael	*berfenw*	gadael
gadael allan	*berfenw*	gollwng
gadael i fod	*berfenw*	gadael
gadael llonydd i	*berfenw*	llonydd
gadael mynd	*berfenw*	gollwng
gadael y gath o'r cwd	*berfenw*	gadael
gaeafol	*ansoddair*	oer
gafael	*berfenw*	gollwng
gafaelgar	*ansoddair*	diddorol
galar	*enw*	hiraeth
galw	*berfenw*	galw
galw enwau	*berfenw*	sarhau
galw enwau ar	*berfenw*	galw
galwad	*enw*	neges
gallt	*enw*	rhiw
gallu	*berfenw*	gallu
galluog	*ansoddair*	craff
galluog	*ansoddair*	da
galluog	*ansoddair*	galluog
gamblo	*berfenw*	mentro
gan bwyll	*ansoddair*	araf
gan bwyll bach	*ansoddair*	gofalus

gan y gwirion y ceir y gwir	*ansoddair*	gwirion
garw	*ansoddair*	brwd
garw	*ansoddair*	cras
garw	*ansoddair*	drwg
garw	*ansoddair*	garw
garw	*ansoddair*	esmwyth
garw	*ansoddair*	llyfn
garw	*ansoddair*	tyner
gât	*enw*	llidiart
gelyn	*enw*	cyfaill
gêm	*enw*	cystadleuaeth
geni	*berfenw*	geni
ger	*adferf*	agos
geriach	*enw*	sbwriel
gerllaw	*adferf*	agos
gerwin	*ansoddair*	garw
glân	*ansoddair*	clir
glân	*ansoddair*	glân
glân	*ansoddair*	gloyw
glân	*ansoddair*	pur
glân	*ansoddair*	brwnt
glân gloyw	*ansoddair*	glân
glân gloyw	*ansoddair*	gloyw
glan	*enw*	ochr
glanhau	*berfenw*	glanhau
glanio	*berfenw*	disgyn
glasfyfyriwr	*ansoddair*	ffres
glatsh	*ansoddair*	amser
gleisiad	*enw*	baban
glew	*ansoddair*	dewr
glöwr	*enw*	crefftwr
gloyw	*ansoddair*	clir
gloyw	*ansoddair*	glân
gloyw	*ansoddair*	gloyw
gloywi	*berfenw*	gwella
gloywi	*berfenw*	rhwbio
gludiog	*ansoddair*	tew
gludo	*berfenw*	glynu
glynu	*berfenw*	glynu
glynu fel gelen	*berfenw*	glynu
go iawn	*ansoddair*	gwir
gobeithio	*berfenw*	gobeithio
gobeithio yn erbyn gobaith	*berfenw*	gobeithio
godidog	*ansoddair*	braf
godidog	*ansoddair*	gwych
godidog	*ansoddair*	moethus
goddef	*berfenw*	dioddef
goddef	*berfenw*	gadael
gof	*enw*	crefftwr
gofalu	*berfenw*	gofalu
gofalu	*ansoddair*	esgeulus
gofalu am	*berfenw*	amddiffyn

gofalu am	*berfenw*	gwasanaethu
gofalus	*ansoddair*	gofalus
gofalus	*ansoddair*	esgeulus
goferwi	*berfenw*	coginio
gofidio	*berfenw*	gofidio
gofidio	*berfenw*	ofni
gofidus	*ansoddair*	nerfus
gofod	*enw*	lle
gofyn	*berfenw*	ceisio
gofyn	*berfenw*	dweud
gofyn	*berfenw*	eisiau
gofyn bendith	*berfenw*	gofyn
Gog	*enw*	Cymro
goglais	*berfenw*	crafu
golau	*enw*	golau
golau	*enw*	lamp
golau	*ansoddair*	tywyll
golchi	*berfenw*	glanhau
golchi traed yr alarch yn wyn	*ansoddair*	amhosibl
goleuni	*enw*	golau
goleuo	*berfenw*	fflachio
golud	*enw*	trysor
golygfa	*enw*	darlun
golygus	*ansoddair*	braf
golygus	*ansoddair*	hardd
gollwng	*berfenw*	gollwng
gollwng	*berfenw*	glynu
gollwng	*berfenw*	gwasgu
gollwng y gath o'r cwd	*berfenw*	gollwng
gonest	*ansoddair*	gonest
gorau	*ansoddair*	gorau
gorau Cymro, Cymro oddi cartref	*enw*	Cymro
gorchfygu	*berfenw*	ennill
gorchuddio	*berfenw*	cuddio
gorchuddio	*berfenw*	lapio
gorchwyl	*enw*	gwaith
gorchymyn	*berfenw*	mynnu
gorchymyn	*enw*	rheol
gor-ddweud	*berfenw*	brolio
goresgyn	*berfenw*	ennill
gorfodi	*berfenw*	gorfodi
gorfodi	*berfenw*	gwthio
gorffen	*berfenw*	gorffen
gorffen	*berfenw*	pallu
gorffen	*berfenw*	dechrau
gorffwys	*berfenw*	gorffwys
gorffwys	*berfenw*	gweithio
gorffwys ar y rhwyfau	*berfenw*	gorffwys
gorlifo	*berfenw*	llifo
gormodedd	*enw*	prinder

gornest	*enw*	cystadleuaeth
gorwedd	*berfenw*	gorffwys
gorymdeithio	*berfenw*	cerdded
gosgeiddig	*ansoddair*	lletchwith
gosod	*berfenw*	gosod
gosod	*berfenw*	rhoi
gosod ar droed	*berfenw*	gosod
gosod rhywun ar ben ffordd	*enw*	ffordd
gosodiad	*enw*	sylw
gostegu	*berfenw*	byrlymu
gostwng	*berfenw*	disgyn
gostyngedig	*ansoddair*	rhad
gre	*enw*	grŵp
greddfol	*ansoddair*	cyffredin
grwgnach	*berfenw*	achwyn
grŵp	*enw*	grŵp
grym	*enw*	nerth
grymus	*ansoddair*	cadarn
grymus	*ansoddair*	cryf
grymus	*ansoddair*	solet
gwâl	*enw*	cartref
gwadu	*berfenw*	cyfaddef
gwael	*ansoddair*	drwg
gwael	*ansoddair*	gwael
gwael	*ansoddair*	isel
gwael	*ansoddair*	arbennig
gwael	*ansoddair*	da
gwael iawn	*ansoddair*	iawn
gwaeledd	*enw*	clefyd
gwaelu	*berfenw*	gwaethygu
gwaered	*enw*	rhiw
gwaethaf	*ansoddair*	gorau
gwaetha'r modd	*ansoddair*	anffodus
gwaethygu	*berfenw*	gwaethygu
gwaethygu	*berfenw*	gwella
gwag	*ansoddair*	sbâr
gwag	*ansoddair*	llawn
gwagio	*berfenw*	yfed
gwagle	*enw*	lle
gwahanol	*ansoddair*	dieithr
gwahanol	*ansoddair*	ffres
gwahanol	*ansoddair*	gwahanol
gwahanol	*ansoddair*	newydd
gwahanu	*berfenw*	rhannu
gwahodd	*berfenw*	galw
gwahodd	*berfenw*	gofyn
gwaith	*enw*	gwaith
gwaith	*enw*	ymdrech
Gwalia	*enw*	Cymru
gwâl	*enw*	cartref
gwall	*enw*	camgymeriad
gwallt brith	*ansoddair*	brith
gwallus	*ansoddair*	anghywir
gwallus	*ansoddair*	perffaith
gwan	*ansoddair*	anifail
gwan	*ansoddair*	gwan
gwan	*ansoddair*	tenau
gwan	*ansoddair*	arbennig
gwan	*ansoddair*	cadarn
gwan	*ansoddair*	caled
gwan	*ansoddair*	cryf
gwan	*ansoddair*	solet
gwancus	*ansoddair*	anifail
gwantan	*ansoddair*	gwan
gwarantu	*berfenw*	addo
gwarchod	*berfenw*	gofalu
gwaredu	*berfenw*	taflu
gwario	*berfenw*	talu
gwarthus	*ansoddair*	drwg
gwas	*enw*	dyn
gwasanaeth	*enw*	gwasanaeth
gwasanaeth	*enw*	seremoni
gwasanaethu	*berfenw*	gwasanaethu
gwasgaru	*berfenw*	chwalu
gwasgaru	*berfenw*	gwasgaru
gwasgaru	*berfenw*	taenu
gwasgaru	*berfenw*	hel
gwasgu	*berfenw*	gwasgu
gwasgu	*berfenw*	gwthio
gwasgu ar	*berfenw*	perswadio
gwasgu arni	*berfenw*	brysio
gwastad	*ansoddair*	esmwyth
gwastad	*ansoddair*	gwastad
gwastad	*ansoddair*	llyfn
gwastadedd	*enw*	rhiw
gwastraff	*enw*	sbwriel
gwastraffu	*berfenw*	gwastraffu
gwatwar	*berfenw*	sarhau
gwau	*berfenw*	plethu
gwawdio	*berfenw*	sarhau
gwedd	*enw*	wyneb
gweddnewid	*berfenw*	newid
gweddol	*ansoddair*	gweddol
gwefr	*enw*	sioc
gwefreiddiol	*ansoddair*	cyffrous
gweiddi	*enw*	crefftwr
gweiddi	*berfenw*	dweud
gweiddi	*berfenw*	galw
gweiddi	*berfenw*	gweiddi
gweinidog	*enw*	ficer
gweithgar	*ansoddair*	prysur
gweithgar	*ansoddair*	diog
gweithio	*berfenw*	defnyddio
gweithio	*berfenw*	gwasanaethu
gweithio	*berfenw*	gweithio
gweithio	*berfenw*	paratoi

gweithio	*berfenw*	gorffwys
gweithio	*berfenw*	llwyddo
gweithredu	*berfenw*	gweithio
gweithredu	*berfenw*	ymarfer
gweld	*berfenw*	darganfod
gweld	*berfenw*	deall
gweld	*berfenw*	dysgu
gweld	*berfenw*	gweld
gweld yn chwith	*berfenw*	digio
gweld yn chwith	*berfenw*	pwdu
gwella	*berfenw*	gwella
gwella	*berfenw*	brifo
gwella	*berfenw*	gwaethygu
gwellhad	*enw*	niwed
gwên deg	*ansoddair*	ffug
gwendid	*enw*	bai
gwendid	*enw*	nerth
gwenu	*ansoddair*	hapus
gwenwynllyd	*ansoddair*	eiddigeddus
gwenwyno	*berfenw*	lladd
gwep	*enw*	wyneb
gwerin	*enw*	darn
gwernen	*enw*	coeden
gwers	*enw*	neges
gwerth chweil	*ansoddair*	defnyddiol
gwerthfawr	*ansoddair*	defnyddiol
gwerthfawr	*ansoddair*	gwerthfawr
gwerthfawr	*ansoddair*	llesol
gwerthfawrogi	*berfenw*	deall
gweryru	*berfenw*	gweiddi
gwibdaith	*enw*	taith
gwichian	*berfenw*	dweud
gwiddon	*enw*	gwrach
gwir	*ansoddair*	cywir
gwir	*ansoddair*	gwir
gwir	*ansoddair*	iawn
gwir	*ansoddair*	ffug
gwirfoddoli	*berfenw*	dewis
gwirfoddoli	*berfenw*	gorfodi
gwirion	*ansoddair*	ffôl
gwirion	*ansoddair*	gwirion
gwirionedd	*enw*	sail
Gwlad y Gân	*enw*	Cymru
Gwlad y menig gwynion	*enw*	Cymru
gwlyb	*ansoddair*	llaith
gwlyb	*ansoddair*	sych
gwneud	*berfenw*	adeiladu
gwneud	*berfenw*	ffurfio
gwneud	*berfenw*	gwneud
gwneud chwarae teg â	*berfenw*	gwneud
gwneud dolur	*berfenw*	poenus
gwneud fy ngorau i	*berfenw*	ceisio
gwneud i	*berfenw*	gorfodi
gwneud môr a mynydd o rywbeth	*berfenw*	gwneud
gwneud smonach	*berfenw*	difetha
gwneud stomp	*berfenw*	difetha
gwneud synnwyr	*berfenw*	deall
gwneud yn dda	*berfenw*	llwyddo
gwniadyddes	*enw*	crefftwr
gwobrwyo	*berfenw*	ennill
gwobrwyo	*berfenw*	cosbi
gŵr	*enw*	dyn
gwrach	*enw*	gwrach
gwraidd	*enw*	sail
gwraig	*enw*	dynes
gwraig	*enw*	gwraig
gwreichioni	*berfenw*	fflachio
gwreiddiol	*ansoddair*	gwahanol
gwreiddiol	*ansoddair*	gwreiddiol
gwreiddiol	*ansoddair*	newydd
gwreigan	*enw*	gwraig
gweithredu ar ran	*berfenw*	cynrychioli
gwrol	*ansoddair*	dewr
gwrthod	*berfenw*	gwrthod
gwrthod	*berfenw*	pallu
gwrthod	*berfenw*	cynnig
gwrthod	*berfenw*	derbyn
gwrthod	*berfenw*	dewis
gwrthod	*berfenw*	gadael
gwrthryfel	*enw*	terfysg
gwrthryfelwr	*enw*	rebel
gwrthwynebu	*berfenw*	cefnogi
gwryw	*enw*	dyn
gwth o oedran	*ansoddair*	hen
gwthio	*berfenw*	gorfodi
gwthio	*berfenw*	gwasgu
gwthio	*berfenw*	gwthio
gwybod	*berfenw*	deall
gwybod	*berfenw*	gwybod
gwybod be' di be'	*berfenw*	gwybod
gwybod lle rydw i'n sefyll	*berfenw*	gwybod
gwybod sut i	*berfenw*	gallu
gwybodaeth anghywir	*ansoddair*	ffug
gwych	*ansoddair*	arbennig
gwych	*ansoddair*	bendigedig

gwych	*ansoddair*	braf
gwych	*ansoddair*	da
gwych	*ansoddair*	gwych
gwych	*ansoddair*	moethus
gwych	*ansoddair*	gwael
gwydn	*ansoddair*	gwydn
gwylaidd	*ansoddair*	swil
gwyliadwrus	*ansoddair*	gofalus
gwylio	*berfenw*	edrych
gwylio	*berfenw*	gofalu
gwyllt	*ansoddair*	anifail
gwyllt	*ansoddair*	ffyrnig
gwyllt	*ansoddair*	gwyllt
gwylltio	*berfenw*	digio
gwylltio'n gacwn	*berfenw*	digio
gwylltu	*berfenw*	brysio
gwyn	*ansoddair*	anifail
gwynio	*berfenw*	brifo
gwynt	*enw*	arogl
gwynt main	*enw*	main
gwynto	*berfenw*	arogli
gwyntog	*ansoddair*	garw
gwyrthiol	*ansoddair*	anhygoel
gwywo	*berfenw*	gwywo
gyda hyn	*berfenw*	amser
gyr	*enw*	grŵp
gyrru	*berfenw*	anfon
gyrru	*berfenw*	danfon
gyrru	*berfenw*	gorfodi
gyrru	*berfenw*	gwthio
gyrru o 'nghof	*ansoddair*	gwyllt

H

haearnaidd	*ansoddair*	caled
hael	*ansoddair*	hael
haeru	*berfenw*	mynnu
haid	*enw*	grŵp
haid	*enw*	torf
haig	*enw*	grŵp
haint	*enw*	clefyd
hamddena	*berfenw*	ymlacio
hamddenol	*ansoddair*	araf
hanes	*enw*	chwedl
hanesyn	*enw*	chwedl
hanfodol	*ansoddair*	pwysig
hapus	*ansoddair*	balch
hapus	*ansoddair*	hapus
hapus	*ansoddair*	chwerw
hardd	*ansoddair*	braf
hardd	*ansoddair*	pert
hardd	*ansoddair*	hardd
hardd pob newydd	*ansoddair*	hardd
harddu	*berfenw*	gwella
harneisio	*berfenw*	clymu
hastu	*berfenw*	brysio
hau	*berfenw*	gwasgaru
hawdd	*ansoddair*	esmwyth
hawdd	*ansoddair*	anodd
hawddgar	*ansoddair*	annwyl
hawddgar	*ansoddair*	hyfryd
hawlio	*berfenw*	gofyn
hawlio	*berfenw*	mynnu
heb ei ail	*ansoddair*	braf
heb ei ail	*ansoddair*	gorau
heb ei fai heb ei eni	*enw*	bai
heb na siw na miw	*ansoddair*	tawel
hebrwng	*berfenw*	anfon
hebrwng	*berfenw*	danfon
heddiw	*enw*	diwrnod
heddwch	*enw*	distawrwydd
heddwch	*enw*	helynt
heddwch	*enw*	terfysg
heini	*ansoddair*	anifail
heini	*ansoddair*	bywiog
heini	*ansoddair*	ffit
heini	*ansoddair*	iach
heini	*ansoddair*	sionc
hel	*berfenw*	danfon
hel	*berfenw*	hel
hel clecs	*berfenw*	hel
hel dail	*berfenw*	hel
hel mêl i'r cwch	*berfenw*	hel
hel straeon	*berfenw*	hel
hala	*berfenw*	anfon
helaeth	*ansoddair*	eang
helaeth	*ansoddair*	hael
helbul	*enw*	ffwdan
helbul	*enw*	helynt
helbul	*enw*	trafferth
help llaw	*berfenw*	helpu
help llaw chwith	*berfenw*	helpu
helpu	*berfenw*	cefnogi
helpu	*berfenw*	gwasanaethu
helpu	*berfenw*	helpu
helygen	*enw*	coeden
helynt	*enw*	ffwdan
helynt	*enw*	helynt
helynt	*enw*	problem
helynt	*enw*	terfysg
helynt	*enw*	trafferth

hemo *berfenw* bwrw
hen *ansoddair* hen
hen *ansoddair* ffres
hen *ansoddair* ifanc
hen *ansoddair* newydd
heol *enw* ffordd
heol *enw* heol
hepgor *berfenw* gadael
hepgor *berfenw* gollwng
herio *berfenw* gofyn
hesb *ansoddair* sych
heulog *ansoddair* braf
heulog *ansoddair* da
hidio *berfenw* gofidio
Hindŵaeth *enw* ffydd
hindda *ansoddair* braf
hindda *ansoddair* da
hir *ansoddair* hir
hir *ansoddair* byr
hiraeth *enw* hiraeth
hiraeth am *enw* eisiau
hirben *ansoddair* doeth
hirwyntog *ansoddair* anniddorol
hoffi *berfenw* caru
hoffi *berfenw* dymuno
hoffi *berfenw* edmygu
hoffi *berfenw* hoffi
hoffi *berfenw* mwynhau
hoffus *ansoddair* annwyl
hoffus *ansoddair* serchog
hogan *enw* ifanc
hogen *enw* ifanc
hogyn *enw* ifanc
hongian *berfenw* disgyn
holi *berfenw* dweud
holi *berfenw* gofyn
holliach *ansoddair* ffit
holliach *ansoddair* iach
hollti *berfenw* rhannu
hollti *berfenw* rhwygo
hollti *berfenw* torri
honni *berfenw* mynnu
huawdl *ansoddair* ffraeth
hud *enw* hud
hud a lledrith *enw* hud
hudo *berfenw* denu
hudo *berfenw* twyllo
hudoles *enw* gwrach
hudoliaeth *enw* hud
hunanol *ansoddair* balch
hunllefus *ansoddair* ofnadwy
hurt *ansoddair* ffôl
hurt *ansoddair* gwirion
hurt *ansoddair* craff
hwfro *berfenw* glanhau
Hwntw *enw* Cymro
hwyl *enw* pleser
hwyl *enw* tymer
hwyliog *ansoddair* hyfryd
hwyluso *berfenw* helpu
hyblyg *ansoddair* sionc
hybu *berfenw* cefnogi
hybu *berfenw* helpu
hyder *enw* ffydd
hyderu *berfenw* gobeithio
hyderu *berfenw* ofni
hyderus *ansoddair* nerfus
hy *ansoddair* mentrus
hyfryd *ansoddair* braf
hyfryd *ansoddair* blasus
hyfryd *ansoddair* da
hyfryd *ansoddair* hyfryd
hyfryd *ansoddair* ofnadwy
hyfrydwch *enw* pleser
hyfrytaf *ansoddair* gorau
hyfforddi *berfenw* dysgu
hyll *ansoddair* braf
hyll *ansoddair* hardd
hyll *ansoddair* pert
hynafol *ansoddair* hen
hynaws *ansoddair* caredig
hynaws *ansoddair* serchog
hynod *ansoddair* hynod
hynod *ansoddair* rhyfedd
hyrddio *berfenw* taflu
hysio *berfenw* perswadio

I

iach *ansoddair* anifail
iach *ansoddair* ffit
iach *ansoddair* iach
iach *ansoddair* gwael
iach *ansoddair* pwdr
iacháu *berfenw* gwella
iachus *ansoddair* iach
iasol *ansoddair* oer
iawn *ansoddair* cywir
iawn *ansoddair* gweddol
iawn *ansoddair* gwir
iawn *ansoddair* iawn
Iddewiaeth *enw* ffydd
iet *enw* llidiart
ifanc *ansoddair* ifanc
ifanc *ansoddair* hen
igam-ogam *ansoddair* cam
imam *enw* ficer

ir	*ansoddair*	ifanc
isel	*ansoddair*	isel
isel ei ysbryd	*ansoddair*	isel
Islam	*enw*	ffydd
iwsio	*berfenw*	defnyddio

J

jib	*enw*	wyneb
joclyd	*ansoddair*	digrif
jocôs	*ansoddair*	cysurus

L

lambastio	*berfenw*	beirniadu
lamp	*enw*	lamp
lantern	*enw*	lamp
lapio	*berfenw*	lapio
lefel	*enw*	safon
leinio	*berfenw*	bwrw
ling-di-long	*ansoddair*	araf
lôn bost	*enw*	heol
lodes	*enw*	ifanc
loes	*enw*	anaf
loetran	*berfenw*	oedi
lol	*ansoddair*	lol
lol potes maip	*ansoddair*	lol
lolfa	*enw*	ystafell
lôn	*enw*	heol
los	*enw*	ifanc
lwcus	*ansoddair*	ffodus
lwmpyn	*enw*	lwmpyn

Ll

llac	*ansoddair*	llac
llac	*ansoddair*	tyn
llacio gafael	*berfenw*	gollwng
llachar	*ansoddair*	amlwg
llachar	*ansoddair*	gloyw
lladrata	*berfenw*	dwyn
lladd	*berfenw*	lladd
lladd ar	*berfenw*	beirniadu
lladd ar	*berfenw*	lladd
lladd dau dderyn ag un ergyd	*berfenw*	lladd
lladd gwair	*berfenw*	lladd
lladd nadroedd	*berfenw*	lladd
llaes	*ansoddair*	hir
llaes	*ansoddair*	isel
llaes	*ansoddair*	tyn
llaesu dwylo	*berfenw*	ymlacio
llafar	*ansoddair*	swnllyd
llafnes	*enw*	ifanc
llafur	*enw*	gwaith
llafurio	*berfenw*	gweithio
llais main	*enw*	main
llaith	*ansoddair*	llaith
llamu	*berfenw*	neidio
llanc	*enw*	ifanc
llances	*enw*	ifanc
llarpio	*berfenw*	rhwygo
llathraidd	*ansoddair*	llyfn
llawen	*ansoddair*	anifail
llawen	*ansoddair*	balch
llawen	*ansoddair*	hapus
llawen	*ansoddair*	trist
llawenhau	*berfenw*	dathlu
llawenhau	*berfenw*	wylo
llawer	*enw*	llawer
llawer	*ansoddair*	ychydig
llawn	*ansoddair*	llawn
llawn asbri	*ansoddair*	bywiog
llawn dop	*ansoddair*	llawn
llawn egni	*ansoddair*	bywiog
llawn hwyl	*ansoddair*	digrif
llawn hwyl a sbri	*ansoddair*	bywiog
lle	*enw*	lle
llecyn	*enw*	lle
llechu	*berfenw*	cuddio
llechwedd	*enw*	rhiw
lled	*ansoddair*	gweddol
lledaenu	*berfenw*	chwalu
lledaenu	*berfenw*	gwasgaru
lledaenu	*berfenw*	taenu
lledu	*berfenw*	taenu
lleddfu	*berfenw*	pigo
llefain	*berfenw*	galw
llefain	*berfenw*	wylo
llefaru	*berfenw*	adrodd
llefaru	*berfenw*	perfformio
llefnyn	*enw*	ifanc
lleian	*enw*	ficer
lleiandy	*enw*	ficer
lleihau	*berfenw*	tyfu
lleisio	*berfenw*	dweud
lleoli	*berfenw*	gosod
lleoliad	*enw*	lle
lles	*ansoddair*	lles
llesg	*ansoddair*	gwan
llesol	*ansoddair*	da
llesol	*ansoddair*	iach
llesol	*ansoddair*	llesol
llety	*enw*	cartref

lletya	*berfenw*	aros
llethr	*enw*	ochr
llewyrch	*enw*	golau
llewyrchu	*berfenw*	disgleirio
lliain main	*enw*	main
lliaws	*enw*	llawer
llidiart	*enw*	llidiart
llidus	*ansoddair*	poenus
llifeirio	*berfenw*	llifo
llifio	*berfenw*	torri
llifo	*berfenw*	arllwys
llifo	*berfenw*	byrlymu
llifo	*berfenw*	llifo
llifo	*berfenw*	rhedeg
llifogydd	*enw*	dŵr
llinell	*enw*	ffin
llinell	*enw*	rhes
lliniaru	*berfenw*	gwella
llipa	*ansoddair*	gwan
llipa	*ansoddair*	llac
llithriad	*enw*	camgymeriad
llithrig	*ansoddair*	seimllyd
llithro	*berfenw*	cwympo
llithro	*berfenw*	disgyn
lliw a llun	*enw*	patrwm
lliwgar	*ansoddair*	pert
llo	*enw*	baban
lloches	*enw*	cartref
llochesu	*berfenw*	cuddio
lloerig	*ansoddair*	gwyllt
llofnodi	*berfenw*	dangos
llofruddio	*berfenw*	lladd
llofft	*enw*	ystafell
llogi	*berfenw*	talu
llon	*ansoddair*	anifail
llon	*ansoddair*	hapus
llon	*ansoddair*	trist
llond	*ansoddair*	llawn
llond gwlad	*enw*	llawer
llond gwlad	*enw*	torf
llond y lle	*enw*	llawer
llonni	*berfenw*	pwdu
llonydd	*ansoddair*	llonydd
llonydd	*ansoddair*	tawel
llonydd	*ansoddair*	aflonydd
llonydd	*enw*	helynt
llonyddu	*berfenw*	ysgwyd
llonyddwch	*enw*	distawrwydd
llonyddwch	*enw*	helynt
llonyddwch	*enw*	terfysg
llonyddwch	*enw*	twrw
llorio	*berfenw*	bwrw
llosgi	*berfenw*	fflachio
llosgi	*berfenw*	pigo

llowcio	*berfenw*	yfed
llu	*enw*	torf
lluchio	*berfenw*	taflu
llun	*enw*	darlun
lluniaidd	*ansoddair*	hardd
llunio	*berfenw*	ffurfio
llunio	*berfenw*	gwneud
llusern	*enw*	lamp
llusgo traed	*berfenw*	oedi
llw celwyddog	*ansoddair*	ffug
llwfr	*ansoddair*	dewr
llwgr	*ansoddair*	pwdr
llwm	*ansoddair*	llwm
llwm	*ansoddair*	noeth
llwm	*ansoddair*	tlawd
llwm	*ansoddair*	moethus
llwyd	*ansoddair*	tywyll
llwydrewi	*berfenw*	oeri
llwyddo	*berfenw*	llwyddo
llwyfen	*enw*	coeden
llwyth	*enw*	llawer
llwyth	*enw*	pentwr
llychlyd	*ansoddair*	brwnt
llydan	*ansoddair*	eang
llydan	*ansoddair*	llydan
llydan	*ansoddair*	main
llyfn	*ansoddair*	esmwyth
llyfn	*ansoddair*	gwastad
llyfn	*ansoddair*	llyfn
llyfn	*ansoddair*	garw
llyfn	*ansoddair*	pigog
llyfrgell	*enw*	casgliad
llyfrgell	*enw*	ystafell
llygadu	*berfenw*	edrych
llynges	*enw*	casgliad
llym	*ansoddair*	craff
llym	*ansoddair*	miniog
llym	*ansoddair*	pigog
llyn	*enw*	dŵr
llyncu	*berfenw*	yfed
llyncu mul	*berfenw*	pwdu
llys	*enw*	cartref
llysfam	*enw*	dynes
llysdad	*enw*	dyn
llysnafeddog	*ansoddair*	seimllyd
llythyr	*enw*	neges
llywaeth	*ansoddair*	anifail

M

mab	*enw*	dyn
mabolgampau	*enw*	cystadleuaeth
mabwysiadu	*berfenw*	derbyn

machlud	*berfenw*	cilio
maddeuwch i mi	*berfenw*	ymddiheuro
maeddu	*berfenw*	ennill
mae'n ddrwg gen i	*ansoddair*	drwg
mae'n ddrwg gen i	*berfenw*	ymddiheuro
mae'n flin gen i	*berfenw*	ymddiheuro
maen prawf	*enw*	safon
maeth	*ansoddair*	lles
maethlon	*ansoddair*	llesol
main	*ansoddair*	llwm
main	*ansoddair*	main
main	*ansoddair*	tenau
maith	*ansoddair*	hir
maleisus	*ansoddair*	cas
malio	*berfenw*	gofidio
malu	*berfenw*	chwalu
malu	*berfenw*	torri
malurio	*berfenw*	chwalu
mam	*enw*	dynes
mam-gu	*enw*	dynes
mam-yng-nghyfraith	*enw*	dynes
mân	*ansoddair*	bach
man	*enw*	lle
mangre	*enw*	lle
mantais	*enw*	lles
manteisio ar	*berfenw*	defnyddio
manteisiol	*ansoddair*	da
manteisiol	*ansoddair*	gwerthfawr
map	*enw*	darlun
marc	*enw*	ôl
marcio	*berfenw*	beirniadu
marw	*berfenw*	gwywo
marw	*berfenw*	geni
marwaidd	*ansoddair*	bywiog
masarnen	*enw*	coeden
mater	*enw*	pwnc
mawl	*enw*	clod
mawr	*ansoddair*	braf
mawr	*ansoddair*	eang
mawr	*ansoddair*	llydan
mawr	*ansoddair*	tew
mawr	*ansoddair*	bach
mawr iawn	*ansoddair*	iawn
mawreddog	*ansoddair*	balch
medru	*berfenw*	gallu
medrus	*ansoddair*	da
medrus	*ansoddair*	galluog
meddai	*berfenw*	dweud
meddal	*ansoddair*	tyner
meddal	*ansoddair*	caled
meddal	*ansoddair*	solet
meddalu	*berfenw*	meirioli
meddwl	*enw*	barn
meddwl	*berfenw*	credu
meiddio	*berfenw*	mentro
meirioli	*berfenw*	diflannu
meirioli	*berfenw*	meirioli
meistroli	*berfenw*	dysgu
melinydd	*enw*	crefftwr
melys	*ansoddair*	melys
melys	*ansoddair*	chwerw
melys	*ansoddair*	sur
melys moes mwy	*ansoddair*	melys
melltennu	*berfenw*	fflachio
melltennu	*berfenw*	tanio
melltithio	*berfenw*	beirniadu
mentro	*berfenw*	mentro
mentrus	*ansoddair*	dewr
mentrus	*ansoddair*	mentrus
mentrus	*ansoddair*	gofalus
menyw	*enw*	dyn
menyw	*enw*	gwraig
merch	*enw*	dynes
merch	*enw*	gwraig
methu	*berfenw*	gallu
methu	*berfenw*	llwyddo
methu credu fy nghlustiau	*berfenw*	credu
methu deall	*berfenw*	deall
methu'n lân â gwneud rhywbeth	*ansoddair*	glân
mewian	*berfenw*	gweiddi
mewn chwinciad chwannen	*enw*	amser
mewn hwyliau da	*ansoddair*	hapus
mewn munud	*berfenw*	amser
milain	*ansoddair*	creulon
mileinig	*ansoddair*	cas
mileinig	*ansoddair*	ffyrnig
min	*enw*	min
min	*enw*	ochr
min nos	*enw*	min
miniog	*ansoddair*	craff
miniog	*ansoddair*	miniog
miniog	*ansoddair*	pigog
mintai	*enw*	grŵp
mireinio	*berfenw*	gwella
môr	*enw*	dŵr
mochaidd	*ansoddair*	brwnt
model	*enw*	patrwm
modern	*ansoddair*	newydd
modryb	*enw*	dynes

modurdy	*enw*	casgliad
modd	*enw*	ffordd
moel	*ansoddair*	llwm
moel	*ansoddair*	noeth
moel	*ansoddair*	plaen
moesgar	*ansoddair*	bonheddig
moesgar	*ansoddair*	da
moethus	*ansoddair*	moethus
moli	*berfenw*	edmygu
monni	*berfenw*	pwdu
môr	*enw*	dŵr
mor glir â hoel ar bost	*ansoddair*	clir
mordaith	*enw*	taith
morglawdd	*enw*	mur
morthwylio	*berfenw*	bwrw
morwyn	*enw*	dynes
moel	*ansoddair*	noeth
mud	*ansoddair*	tawel
mudiad	*enw*	grŵp
mur	*enw*	mur
mwdlyd	*ansoddair*	brwnt
mwll	*ansoddair*	llaith
mwmial	*berfenw*	sibrwd
mwrllwch	*enw*	niwl
mwstwr	*enw*	twrw
mwy o dwrw nag o daro	*enw*	twrw
mwy trist na thristwch	*ansoddair*	trist
mwyaf	*ansoddair*	gorau
mwyn	*ansoddair*	caredig
mwyn	*ansoddair*	hyfryd
mwyn	*ansoddair*	tyner
mwyn	*ansoddair*	ysgafn
mwynhad	*enw*	pleser
mwynhau	*berfenw*	edmygu
mwynhau	*berfenw*	hoffi
mwynhau	*berfenw*	mwynhau
mwynhau	*berfenw*	dioddef
mygdarth	*enw*	niwl
mymryn	*enw*	darn
mymryn	*enw*	ychydig
myn	*enw*	baban
mynach	*enw*	ficer
mynachdy	*enw*	ficer
mynd	*berfenw*	diflannu
mynd	*berfenw*	gadael
mynd â hi	*berfenw*	ennill
mynd â'r maen i'r wal	*berfenw*	gorffen
mynd am dro	*berfenw*	cerdded
mynd ar garlam	*berfenw*	brysio

mynd i fyny	*berfenw*	dringo
mynd i natur	*berfenw*	digio
mynd lan	*berfenw*	dringo
mynd o ddrwg i waeth	*berfenw*	gwaethygu
mynd o nerth i nerth	*enw*	nerth
mynd o'm cof	*berfenw*	digio
mynd yn ara' deg bach	*ansoddair*	araf
mynd yn dost	*berfenw*	dioddef
mynd yn gandryll	*berfenw*	digio
mynd yn grac	*berfenw*	digio
mynd yn sâl	*berfenw*	dioddef
mynedfa	*enw*	llidiart
mynegi	*berfenw*	dweud
mynnu	*berfenw*	dweud
mynnu	*berfenw*	gorfodi
mynnu	*berfenw*	mynnu
mynnu	*berfenw*	pallu
mynwent	*enw*	casgliad
mynwesol	*ansoddair*	agos
mynydda	*berfenw*	dringo
myth	*enw*	chwedl

N

nadu	*berfenw*	gweiddi
nadu	*berfenw*	gwrthod
naddu	*berfenw*	ffurfio
nai	*enw*	dyn
nain	*enw*	dynes
nant	*enw*	dŵr
natur	*enw*	tymer
naturiol	*ansoddair*	cyffredin
nawr	*enw*	amser
nefolaidd	*ansoddair*	perffaith
neges	*enw*	neges
neges testun	*enw*	neges
neidio	*berfenw*	neidio
neilltuol	*ansoddair*	arbennig
neilltuol	*ansoddair*	hynod
nerfus	*ansoddair*	nerfus
nerfus	*ansoddair*	swil
nerth	*enw*	nerth
nerth fy mhen	*enw*	nerth
nerth fy nhraed	*enw*	nerth
nerthol	*ansoddair*	caled
nerthol	*ansoddair*	cryf
nerthol	*ansoddair*	solet
neuadd	*enw*	ystafell
newid	*berfenw*	newid

newid fy nghân	*berfenw*	newid
newydd	*ansoddair*	ffres
newydd	*ansoddair*	gwreiddiol
newydd	*ansoddair*	newydd
newydd sbon	*ansoddair*	ffres
newydd sbon	*ansoddair*	newydd
newyddion	*enw*	neges
ni cheir y melys heb y chwerw	*berfenw*	melys
nid ar redeg y mae aredig	*berfenw*	rhedeg
nid twyll twyllo twyllwr	*berfenw*	twyllo
nifer mawr	*enw*	llawer
nith	*enw*	dynes
niwed	*enw*	niwed
niweidio	*berfenw*	brifo
niweidiol	*ansoddair*	drwg
niweidiol	*ansoddair*	peryglus
niwl	*enw*	niwl
niwlen	*enw*	niwl
niwsans	*enw*	trafferth
nobl	*ansoddair*	braf
nodedig	*ansoddair*	arbennig
nodedig	*ansoddair*	enwog
nodedig	*ansoddair*	hynod
nodi	*berfenw*	dangos
nodweddiadol	*ansoddair*	cyffredin
nodyn	*enw*	neges
noeth	*ansoddair*	noeth
noethlymun	*ansoddair*	noeth
nonsens	*ansoddair*	lol
nos	*enw*	dydd
nudden	*enw*	niwl
nyrsio	*berfenw*	gofalu
nyth	*enw*	cartref

O

o blaid	*ansoddair*	ochr
o bwys	*ansoddair*	pwysig
o dipyn i beth	*ansoddair*	amser
o fewn ergyd carreg	*enw*	ergyd
o hyd	*adferf*	gwastad
ochr	*enw*	ffin
ochr	*enw*	min
ochr	*enw*	ochr
ochr	*enw*	wyneb
od	*ansoddair*	dieithr
od	*ansoddair*	hynod
od	*ansoddair*	rhyfedd
oedfa	*enw*	gwasanaeth
oedi	*berfenw*	aros
oedi	*berfenw*	oedi
oedolyn	*enw*	baban
oedrannus	*ansoddair*	hen
oen	*enw*	baban
oer	*ansoddair*	anifail
oer	*ansoddair*	oer
oer	*ansoddair*	poeth
oeraidd	*ansoddair*	oer
oeri	*berfenw*	oeri
oerllyd	*ansoddair*	oer
oes	*enw*	amser
ofn	*enw*	ofn
ofnadwy	*ansoddair*	difrifol
ofnadwy	*ansoddair*	drwg
ofnadwy	*ansoddair*	ofnadwy
ofnadwy	*ansoddair*	bendigedig
ofnadwy	*ansoddair*	gweddol
ofnadwy	*ansoddair*	gwych
ofni	*berfenw*	amau
ofni	*berfenw*	ofni
ofni	*berfenw*	mentro
ofni ei gysgod	*berfenw*	ofni
ofnus	*ansoddair*	nerfus
ofnus	*ansoddair*	swil
ofnus	*ansoddair*	mentrus
offeiriad	*enw*	ficer
offeryn	*enw*	teclyn
ôl	*enw*	ôl
onest	*ansoddair*	gwir
oni byddi gryf bydd gyfrwys	*ansoddair*	cryf
onnen	*enw*	coeden
o'r badell ffrio i'r tân	*enw*	padell
o'r diwedd	*enw*	amser
o'r diwedd	*enw*	diwedd
o'r newydd	*ansoddair*	newydd
oriel	*enw*	casgliad
oriel	*enw*	ystafell
os gwelwch yn dda	*ansoddair*	da
os na fentri di beth, enilli di ddim	*berfenw*	mentro
osgoi	*berfenw*	cyfarfod

P

pac	*enw*	grŵp
pac	*enw*	pecyn
pacio	*berfenw*	lapio
padell	*enw*	padell
padell bres	*enw*	padell

padell bridd	*enw*	padell
padell ffrio	*enw*	padell
paentiad	*enw*	darlun
paffio	*berfenw*	ymladd
palas	*enw*	cartref
palu	*berfenw*	agor
palu	*berfenw*	torri
pallu	*berfenw*	gwrthod
pallu	*berfenw*	pallu
pannu	*berfenw*	bwrw
pantri	*enw*	ystafell
para	*berfenw*	para
paratoi	*berfenw*	paratoi
parcio	*berfenw*	aros
parchu	*berfenw*	edmygu
pardduo	*berfenw*	sarhau
pared	*enw*	mur
parhau	*berfenw*	para
parlwr	*enw*	ystafell
parod	*ansoddair*	ffraeth
parod	*ansoddair*	hael
parsel	*enw*	pecyn
parti	*enw*	grŵp
partner	*enw*	cyfaill
pastio	*berfenw*	glynu
patrwm	*enw*	patrwm
pecyn	*enw*	pecyn
pechu	*berfenw*	digio
pefrio	*berfenw*	byrlymu
pefrio	*berfenw*	fflachio
pengaled	*ansoddair*	ystyfnig
peidio	*berfenw*	gwrthod
peidio	*berfenw*	pallu
peidio	*berfenw*	para
peiriannydd	*enw*	crefftwr
pelydru	*berfenw*	disgleirio
pelydru	*berfenw*	fflachio
pell	*ansoddair*	hir
pell	*ansoddair*	agos
pen	*enw*	diwedd
pen draw	*enw*	ffin
pen tost	*enw*	brifo
penagored	*ansoddair*	ansicr
penbleth	*enw*	problem
penboeth	*ansoddair*	gwyllt
penboethyn	*enw*	rebel
pencampwriaeth	*enw*	cystadleuaeth
pendant	*ansoddair*	pendant
pendant	*ansoddair*	sicr
penderfynol	*ansoddair*	pendant
penderfynol	*ansoddair*	ystyfnig
penderfynu	*berfenw*	dewis
penderfynu	*berfenw*	penderfynu
pendifaddau	*ansoddair*	sicr
pendilio	*berfenw*	siglo
pendraw	*enw*	diwedd
pengaled	*ansoddair*	ystyfnig
peniad	*enw*	ergyd
penigamp	*ansoddair*	braf
penigamp	*ansoddair*	gwych
penio	*berfenw*	bwrw
peniog	*ansoddair*	galluog
penisel	*ansoddair*	siomedig
pennaf	*ansoddair*	gorau
pennu	*berfenw*	penderfynu
penodi	*berfenw*	dewis
penodol	*ansoddair*	pendant
penstiff	*ansoddair*	ystyfnig
pentwr	*enw*	pentwr
pentyrru	*berfenw*	gosod
penwan	*ansoddair*	gwyllt
pêr	*ansoddair*	pur
pêr	*ansoddair*	cras
peraidd	*ansoddair*	melys
perarogl	*enw*	arogl
pererindod	*enw*	taith
perffaith	*ansoddair*	perffaith
perffeithio	*berfenw*	gwella
perfformio	*berfenw*	actio
perfformio	*berfenw*	dangos
perfformio	*berfenw*	perfformio
peri	*berfenw*	gwneud
persawr	*enw*	arogl
persawrus	*ansoddair*	melys
person	*enw*	gŵr
person solet a dibynadwy	*ansoddair*	solet
personol	*ansoddair*	cyfrinachol
perswadio	*berfenw*	perswadio
pert	*ansoddair*	ffraeth
pert	*ansoddair*	hardd
pert	*ansoddair*	pert
perygl bywyd	*ansoddair*	peryglus
peryglus	*ansoddair*	difrifol
peryglus	*ansoddair*	drwg
peryglus	*ansoddair*	peryglus
peryglus	*ansoddair*	diogel
petrus	*ansoddair*	ansicr
petrus	*ansoddair*	nerfus
petrus	*ansoddair*	swil
picil	*enw*	trafferth
pictiwr	*enw*	darlun
pigfain	*ansoddair*	miniog
pigfain	*ansoddair*	pigog
pigo	*berfenw*	dewis
pigo	*berfenw*	pigo
pigo bwrw	*berfenw*	pigo

pigo mewn	*berfenw*	galw
pigog	*ansoddair*	anifail
pigog	*ansoddair*	cas
pigog	*ansoddair*	miniog
pigog	*ansoddair*	pigog
pigog	*ansoddair*	serchog
pigyn clust	*enw*	brifo
pilio	*berfenw*	crafu
pinsio	*berfenw*	gwasgu
pinwydden	*enw*	coeden
pistyll	*enw*	dŵr
pistyllio	*berfenw*	arllwys
pistyllio	*berfenw*	llifo
pisyn	*enw*	darn
pitw	*ansoddair*	bach
pitw	*ansoddair*	gwael
piwis	*ansoddair*	sur
plaen	*ansoddair*	amlwg
plaen	*ansoddair*	clir
plaen	*ansoddair*	plaen
plas	*enw*	cartref
plastro	*berfenw*	taenu
pleser	*enw*	pleser
pleser o'r mwyaf	*enw*	pleser
pleserus	*ansoddair*	braf
pleserus	*ansoddair*	da
pleserus	*ansoddair*	hyfryd
plethu	*berfenw*	plethu
plethu dwylo	*berfenw*	plethu
plicio	*berfenw*	crafu
plygain	*enw*	gwasanaeth
plymio	*berfenw*	neidio
pobi	*berfenw*	coginio
poblogaidd	*ansoddair*	ysgafn
poen	*enw*	anaf
poen bol	*enw*	brifo
poeni	*berfenw*	amau
poeni	*berfenw*	brifo
poeni	*berfenw*	gofidio
poeni	*berfenw*	ofni
poenus	*ansoddair*	poenus
poeth	*ansoddair*	poeth
poethi	*berfenw*	oeri
pontio	*berfenw*	uno
porcyn	*ansoddair*	noeth
porchell	*enw*	baban
pori	*berfenw*	chwilio
portread	*enw*	darlun
portreadu	*berfenw*	actio
posibl	*ansoddair*	amhosibl
postio	*berfenw*	anfon
potsian	*berfenw*	dwyn
powlen	*enw*	padell

powlio	*berfenw*	llifo
praff	*ansoddair*	cryf
praidd	*enw*	grŵp
prancio	*berfenw*	chwarae
prancio	*berfenw*	neidio
prawf	*enw*	cystadleuaeth
pricio	*berfenw*	pigo
prifio	*berfenw*	tyfu
priffordd	*enw*	heol
prin	*ansoddair*	gwerthfawr
prin	*ansoddair*	prin
prin	*ansoddair*	tenau
prin	*ansoddair*	ychydig
prin	*ansoddair*	sbâr
prinder	*enw*	eisiau
prinder	*enw*	prinder
priod	*enw*	gŵr
priod	*enw*	gwraig
priodas	*enw*	gwasanaeth
priodas	*enw*	seremoni
priodi	*berfenw*	uno
priodol	*ansoddair*	ffit
priodol	*ansoddair*	iawn
problem	*enw*	problem
problem	*enw*	trafferth
procio	*berfenw*	gwthio
proffwyd gau	*enw*	ffug
proffwydo	*berfenw*	proffwydo
protestiwr	*enw*	rebel
prudd	*ansoddair*	trist
pryderu	*berfenw*	gofidio
pryderus	*ansoddair*	nerfus
prydferth	*ansoddair*	braf
prydferth	*ansoddair*	hardd
prynu	*berfenw*	talu
prysur	*ansoddair*	aflonydd
prysur	*ansoddair*	anifail
prysur	*ansoddair*	prysur
prysur	*ansoddair*	diog
prysur	*ansoddair*	llonydd
prysuro	*berfenw*	brysio
pur	*ansoddair*	ffres
pur	*ansoddair*	glân
pur	*ansoddair*	gweddol
pur	*ansoddair*	pur
pur	*ansoddair*	solet
pur dda	*ansoddair*	pur
pur ddrwg	*ansoddair*	pur
puro	*berfenw*	glanhau
pwdr	*ansoddair*	diog
pwdr	*ansoddair*	drwg
pwdr	*ansoddair*	pwdr
pwdu	*berfenw*	digio
pwdu	*berfenw*	pwdu

pŵer	*enw*	nerth
pwerus	*ansoddair*	cadarn
pwll	*enw*	dŵr
pwnc	*enw*	pwnc
pwnc llosg	*enw*	pwnc
pwnio	*berfenw*	gwthio
pwno	*berfenw*	bwrw
pwrpas	*enw*	rheswm
pwt	*ansoddair*	byr
pwt	*enw*	darn
pwten	*enw*	baban
pwtyn	*enw*	baban
pwyllog	*ansoddair*	araf
pwyllog	*ansoddair*	gofalus
pwyntio	*berfenw*	dangos
pwyntio	*berfenw*	pwyntio
pwyntio bys	*berfenw*	pwyntio
pwysig	*ansoddair*	difrifol
pwysig	*ansoddair*	pwysig
pwysig	*ansoddair*	ysgafn
pwyso	*berfenw*	gwasgu
pwyso	*berfenw*	gwthio
pwyso a mesur	*berfenw*	beirniadu
pwyso a mesur	*berfenw*	trafod
pwyso ar	*berfenw*	gorfodi
pwyso ar	*berfenw*	perswadio
pybyr	*ansoddair*	brwd
pydru	*berfenw*	pydru
pydru arni	*berfenw*	pydru
pylu	*berfenw*	fflachio
pysgota am	*berfenw*	ceisio
pystylad	*berfenw*	cerdded

R

rabbi	*enw*	ficer
ras	*enw*	cystadleuaeth
rasio	*berfenw*	rhedeg
rebel	*enw*	rebel
rihyrsio	*berfenw*	ymarfer
rŵan	*enw*	amser
rwtsh	*ansoddair*	lol
rwtsh	*enw*	sbwriel

Rh

rhacsan	*berfenw*	rhwygo
rhacsio	*berfenw*	chwalu
rhacsog	*ansoddair*	llwm
rhad	*ansoddair*	isel
rhad	*ansoddair*	rhad
rhadlon	*ansoddair*	hyfryd
rhadlon	*ansoddair*	serchog
rhaeadr	*enw*	dŵr
rhagbrawf	*enw*	cystadleuaeth
rhagddweud	*berfenw*	proffwydo
rhagorol	*ansoddair*	arbennig
rhagorol	*ansoddair*	bendigedig
rhagorol	*ansoddair*	da
rhagorol	*ansoddair*	gwych
rhagorol	*ansoddair*	gweddol
rhag-weld	*berfenw*	proffwydo
rhaid	*enw*	eisiau
rhaid cael dau i ffraeo	*berfenw*	ffraeo
rhan	*enw*	darn
rhannu	*berfenw*	gwasgaru
rhannu	*berfenw*	rhannu
rhedeg	*berfenw*	arllwys
rhedeg	*berfenw*	llifo
rhedeg	*berfenw*	rhedeg
rhedeg	*berfenw*	cerdded
rhedeg a rasio	*berfenw*	brysio
rhedeg a rasio	*berfenw*	chwarae
rhedeg i ffwrdd	*berfenw*	dianc
rhedeg nerth traed	*berfenw*	rhedeg
rheng	*enw*	rhes
rheibes	*enw*	gwrach
rheithor	*enw*	ficer
rheol	*enw*	rheol
rhes	*enw*	rhes
rhestru	*berfenw*	gosod
rheswm	*enw*	rheswm
rheswm	*enw*	sail
rhesymol	*ansoddair*	rhad
rhewi	*berfenw*	oeri
rhewi	*berfenw*	meirioli
rhewllyd	*ansoddair*	oer
rhibidirês	*enw*	rhes
rhif y gwlith	*enw*	llawer
rhimyn	*enw*	ochr
rhiw	*enw*	rhiw
rhoces	*enw*	ifanc
rhocyn	*enw*	ifanc
rhochian	*berfenw*	gweiddi
rhofio	*berfenw*	agor
rhoi	*berfenw*	gosod
rhoi	*berfenw*	rhoi
rhoi	*berfenw*	talu
rhoi bonclust i	*berfenw*	bwrw
rhoi bonclust i	*berfenw*	rhoi
rhoi bys ar	*berfenw*	rhoi
rhoi coten i	*berfenw*	bwrw

rhoi cynnig ar	*berfenw*	ceisio
rhoi rhywbeth naill ochr	*berfenw*	ochr
rhoi stid i	*berfenw*	bwrw
rhoi ysgytwad i	*berfenw*	siglo
rhoi ysgytwad i	*berfenw*	ysgwyd
rhoi'r ffidl yn y to	*berfenw*	rhoi
rhoi'r gorau i	*berfenw*	pallu
rhostio	*berfenw*	coginio
rhu	*enw*	twrw
rhuglo	*berfenw*	crafu
rhuo	*berfenw*	dweud
rhuo	*berfenw*	gweiddi
rhuthro	*berfenw*	brysio
rhuthro ymlaen	*berfenw*	cilio
rhwbio	*berfenw*	crafu
rhwbio	*berfenw*	rhwbio
rhwng dau feddwl	*ansoddair*	ansicr
rhwng dau olau	*ansoddair*	golau
rhwto	*berfenw*	rhwbio
rhwydd	*ansoddair*	esmwyth
rhwydd	*ansoddair*	anodd
rhwydd	*ansoddair*	dyrys
rhwygo	*berfenw*	agor
rhwygo	*berfenw*	rhwygo
rhwygo	*berfenw*	torri
rhwymo	*berfenw*	clymu
rhwymo	*berfenw*	lapio
rhwystro	*berfenw*	helpu
rhybuddio	*berfenw*	rhybuddio
rhych	*enw*	rhes
rhychog	*ansoddair*	garw
rhydu	*berfenw*	pydru
rhydd	*ansoddair*	llac
rhydd	*ansoddair*	rhydd
rhydd	*ansoddair*	tyn
rhyddhau	*berfenw*	gollwng
rhyfedd	*ansoddair*	dieithr
rhyfedd	*ansoddair*	hynod
rhyfedd	*ansoddair*	rhyfedd
rhyfeddod	*enw*	sioc
rhyfeddol	*ansoddair*	anhygoel
rhyfeddu at	*berfenw*	edmygu
rhyfela	*berfenw*	ymladd
rhyferthwy	*enw*	storm
rhynllyd	*ansoddair*	oer
rhynnu	*berfenw*	oeri
rhythu	*berfenw*	edrych

S

saer coed	*enw*	crefftwr
saer maen	*enw*	crefftwr
saethu	*berfenw*	lladd
saethu	*berfenw*	tanio
safbwynt	*enw*	barn
safio	*berfenw*	achub
safle	*enw*	lle
safon	*enw*	safon
saff	*ansoddair*	diogel
saff	*ansoddair*	peryglus
saffari	*enw*	taith
sail	*enw*	rheswm
sail	*enw*	sail
sâl	*ansoddair*	anifail
sâl	*ansoddair*	drwg
sâl	*ansoddair*	gwael
sâl	*ansoddair*	iach
salw	*ansoddair*	hardd
salw	*ansoddair*	pert
salwch	*enw*	clefyd
sanau glân	*ansoddair*	ffres
sarrug	*ansoddair*	cas
sarrug	*ansoddair*	chwerw
sarrug	*ansoddair*	sur
sarhau	*berfenw*	sarhau
sathru	*berfenw*	cerdded
sawl un	*enw*	llawer
sbâr	*ansoddair*	sbâr
sbeitlyd	*ansoddair*	cas
sbeitlyd	*ansoddair*	chwerw
sbel	*enw*	amser
sbens	*enw*	ystafell
sbio	*berfenw*	edrych
sboncio	*berfenw*	neidio
sbort	*enw*	pleser
sbri	*enw*	pleser
sbwriel	*enw*	sbwriel
sbwylio	*berfenw*	difetha
sebon newydd	*enw*	ffres
seddau	*enw*	lle
sefydlu	*berfenw*	dechrau
sefydlu	*berfenw*	ffurfio
sefyll	*berfenw*	aros
sefyll	*berfenw*	para
sefyll	*berfenw*	cerdded
sefyll	*berfenw*	cwympo
sefyll	*berfenw*	dianc
sefyll yn stond	*berfenw*	neidio
sefyll yn stond	*berfenw*	rhedeg
sefyllfa	*enw*	lle
sefyllian	*berfenw*	oedi

segur	*ansoddair*	llonydd
segur	*ansoddair*	prysur
seiclon	*enw*	storm
seimllyd	*ansoddair*	seimllyd
seler	*enw*	ystafell
selog	*ansoddair*	brwd
senedd	*enw*	grŵp
sensitif	*ansoddair*	sensitif
sensitif	*ansoddair*	tyner
serchog	*ansoddair*	annwyl
serchog	*ansoddair*	serchog
seremoni	*enw*	gwasanaeth
seremoni	*enw*	seremoni
serennu	*berfenw*	disgleirio
set	*enw*	casgliad
sgipio	*berfenw*	cerdded
sgleinio	*berfenw*	disgleirio
sgleinio	*berfenw*	fflachio
sgleinio	*berfenw*	rhwbio
sglodyn	*enw*	darn
sgrechian	*berfenw*	gweiddi
sgrwbio	*berfenw*	glanhau
sgrwbio	*berfenw*	rhwbio
sgubo	*berfenw*	glanhau
sgwd	*enw*	dŵr
sgwrio	*berfenw*	glanhau
sgwrio	*berfenw*	rhwbio
sgwrsio	*berfenw*	sgwrsio
siafio	*berfenw*	torri
siambr	*enw*	ystafell
siâp	*enw*	patrwm
siâr	*enw*	darn
siarad	*berfenw*	dweud
siarad	*berfenw*	sgwrsio
siarad am	*berfenw*	trafod
siaradus	*ansoddair*	swnllyd
siarp	*ansoddair*	craff
siarp	*ansoddair*	chwerw
siarp	*ansoddair*	miniog
siarp	*ansoddair*	sur
siarp	*ansoddair*	serchog
siarsio	*berfenw*	rhybuddio
sibrwd	*berfenw*	dweud
sibrwd	*berfenw*	sibrwd
sibrwd	*berfenw*	gweiddi
sicr	*ansoddair*	diogel
sicr	*ansoddair*	pendant
sicr	*ansoddair*	sicr
sicr	*ansoddair*	ansicr
sicrhau	*berfenw*	addo
sidanaidd	*ansoddair*	llyfn
siffrwd	*berfenw*	sibrwd
sigledig	*ansoddair*	ansicr
sigledig	*ansoddair*	gwan
siglo	*berfenw*	siglo
sillafu	*berfenw*	dangos
simsan	*ansoddair*	ansicr
simsanu	*berfenw*	ysgwyd
sioc	*enw*	ergyd
sioc	*enw*	sioc
siomedig	*ansoddair*	siomedig
sionc	*ansoddair*	anifail
sionc	*ansoddair*	bywiog
sionc	*ansoddair*	sionc
Sioni	*enw*	Cymro
siriol	*ansoddair*	hapus
sirioli	*berfenw*	pwdu
sisial	*berfenw*	byrlymu
sisial	*berfenw*	sibrwd
siwgr candi	*enw*	baban
siwgwraidd	*ansoddair*	melys
siŵr	*ansoddair*	sicr
siwrnai	*enw*	taith
sleisen	*enw*	darn
smala	*ansoddair*	digrif
smwc	*enw*	niwl
snobyddlyd	*ansoddair*	balch
sobor	*ansoddair*	ofnadwy
sodro	*berfenw*	gosod
solet	*ansoddair*	solet
sôn	*enw*	chwedl
sôn	*berfenw*	dweud
sorri	*berfenw*	digio
sorri	*berfenw*	pwdu
sothach	*ansoddair*	lol
sothach	*enw*	sbwriel
sownd	*ansoddair*	tyn
stabal	*enw*	cartref
stablad	*berfenw*	cerdded
sticio	*berfenw*	glynu
stiwdio	*enw*	ystafell
stopio	*berfenw*	pallu
stori	*enw*	chwedl
stori fer	*enw*	byr
stori gelwydd golau	*enw*	ffug
storm	*enw*	storm
stormus	*ansoddair*	garw
strach	*enw*	helynt
strach	*enw*	trafferth
stryd	*enw*	heol
stwffio	*berfenw*	gwasgu
stŵr	*enw*	ffwdan
stŵr	*enw*	helynt
stŵr	*enw*	twrw
stwrllyd	*ansoddair*	swnllyd
suddo	*berfenw*	disgyn
sugno	*berfenw*	yfed

sur	*ansoddair*	chwerw
sur	*ansoddair*	sur
sur	*ansoddair*	ffres
sur	*ansoddair*	melys
surbwch	*ansoddair*	sur
sw	*enw*	casgliad
swil	*ansoddair*	nerfus
swil	*ansoddair*	swil
sŵn	*enw*	twrw
sŵn	*enw*	distawrwydd
swnian	*berfenw*	achwyn
swnllyd	*ansoddair*	swnllyd
swnllyd	*ansoddair*	tawel
swp	*enw*	pecyn
swp	*enw*	pentwr
swydd	*enw*	gwaith
swyn	*enw*	hud
swyno	*berfenw*	denu
swynol	*ansoddair*	tyner
swynwr	*enw*	dewin
swynwraig	*enw*	gwrach
sych	*ansoddair*	caled
sych	*ansoddair*	sych
sych	*ansoddair*	llaith
sych	*ansoddair*	seimllyd
sychedu	*berfenw*	yfed
sychu	*berfenw*	llifo
sydyn	*ansoddair*	cyflym
syfrdanol	*ansoddair*	anhygoel
sylfaen	*enw*	sail
sylfaenol	*ansoddair*	pwysig
sylw	*enw*	sylw
sylweddoli	*berfenw*	darganfod
sylwgar	*ansoddair*	craff
sylwi	*berfenw*	darganfod
sylwi	*berfenw*	dweud
syllu	*berfenw*	edrych
syml	*ansoddair*	plaen
syml	*ansoddair*	dyrys
symol	*ansoddair*	gweddol
symud	*berfenw*	aros
symud	*berfenw*	gwthio
symud	*berfenw*	newid
syndod	*enw*	ergyd
syndod	*enw*	sioc
synhwyro	*berfenw*	arogli
synhwyrol	*ansoddair*	doeth
syniad	*enw*	syniad
synnwyr	*ansoddair*	lol
syrthio	*berfenw*	cwympo
syrthio	*berfenw*	disgyn
syrthio	*berfenw*	dringo
syrthio ar fai	*berfenw*	cyfaddef
syth	*ansoddair*	syth
syth	*ansoddair*	cam
sythu	*berfenw*	oeri

T

taclus	*ansoddair*	taclus
taclus	*ansoddair*	anniben
taclus	*ansoddair*	llac
tacluso	*berfenw*	gwella
tad	*enw*	dyn
tad-cu	*enw*	dyn
tad-yng-nghyfraith	*enw*	dyn
taenu	*berfenw*	gwasgaru
taenu	*berfenw*	taenu
taer	*ansoddair*	brwd
taeru	*berfenw*	dadlau
tafell	*enw*	darn
taflu	*berfenw*	taflu
taflu dŵr oer	*berfenw*	taflu
taflu ergyd	*berfenw*	taflu
taflu het yn erbyn y gwynt	*ansoddair*	amhosibl
taflu llwch i lygaid	*berfenw*	taflu
tagu	*berfenw*	lladd
taid	*enw*	dyn
taith	*enw*	taith
tal	*ansoddair*	byr
talentog	*ansoddair*	da
talentog	*ansoddair*	galluog
talfyrru	*berfenw*	talfyrru
talp	*enw*	darn
talp	*enw*	lwmpyn
talu	*berfenw*	rhoi
talu	*berfenw*	talu
talu gwrogaeth i	*berfenw*	edmygu
talu sylw	*enw*	sylw
talwrn	*enw*	cystadleuaeth
tamaid	*enw*	darn
tamaid	*ansoddair*	ychydig
tamp	*ansoddair*	llaith
tan gamp	*ansoddair*	braf
tan gamp	*ansoddair*	gwych
tanbaid	*ansoddair*	brwd
tanbaid	*ansoddair*	poeth
tanio	*berfenw*	dechrau
tanio	*berfenw*	fflachio
tanio	*berfenw*	tanio
tanio fel matsien	*berfenw*	tanio
tannu	*berfenw*	taenu

taranu	*berfenw*	gweiddi
tarddu	*berfenw*	dechrau
taro	*berfenw*	bwrw
taro	*berfenw*	gosod
taro ar	*berfenw*	darganfod
taro ar draws	*berfenw*	cyfarfod
taro mewn	*berfenw*	galw
taro nodyn	*berfenw*	anfon
tarth	*enw*	niwl
tasg	*enw*	gwaith
tasgu	*berfenw*	byrlymu
tasgu	*berfenw*	neidio
tawch	*enw*	niwl
tawedog	*ansoddair*	tawel
tawel	*ansoddair*	llonydd
tawel	*ansoddair*	tawel
tawel	*ansoddair*	swnllyd
tawel fy meddwl	*ansoddair*	tawel
tawelwch	*enw*	distawrwydd
tawelwch	*enw*	twrw
tebyg	*ansoddair*	gwahanol
teclyn	*enw*	teclyn
teg	*ansoddair*	braf
teg	*ansoddair*	da
teg	*ansoddair*	gonest
teg	*ansoddair*	iawn
teg	*ansoddair*	garw
teiliwr	*enw*	crefftwr
teimladwy	*ansoddair*	sensitif
teimlo gwres fy nhraed	*berfenw*	brysio
teimlo i'r byw	*ansoddair*	sensitif
teipio	*berfenw*	dangos
telpyn	*enw*	lwmpyn
temtio	*berfenw*	denu
tenau	*ansoddair*	anifail
tenau	*ansoddair*	main
tenau	*ansoddair*	prin
tenau	*ansoddair*	tenau
tenau	*ansoddair*	tew
tendio	*berfenw*	gofalu
terfyn	*enw*	diwedd
terfyn	*enw*	ffin
terfynol	*ansoddair*	pendant
terfysg	*enw*	terfysg
tes	*enw*	niwl
testun	*enw*	pwnc
tew	*ansoddair*	anifail
tew	*ansoddair*	tew
tew	*ansoddair*	main
tew	*ansoddair*	tenau
tewi	*berfenw*	pallu
tewi	*berfenw*	dweud

tila	*ansoddair*	gwael
tila	*ansoddair*	gwan
tila	*ansoddair*	tenau
tîm	*enw*	grŵp
tipyn	*enw*	llawer
tipyn	*ansoddair*	ychydig
tirion	*ansoddair*	caredig
tirion	*ansoddair*	brwnt
tirion	*ansoddair*	creulon
tlawd	*ansoddair*	anifail
tlawd	*ansoddair*	llwm
tlawd	*ansoddair*	tlawd
tlawd	*ansoddair*	cyfoethog
tlawd	*ansoddair*	moethus
tlodi	*enw*	eisiau
tlws	*ansoddair*	hardd
tlws	*ansoddair*	pert
toc	*enw*	amser
tocio	*berfenw*	talfyrru
tocio	*berfenw*	torri
toddi	*berfenw*	diflannu
toddi	*berfenw*	meirioli
tomen	*enw*	pentwr
torcalonnus	*ansoddair*	trist
torf	*enw*	grŵp
torf	*enw*	torf
torri	*berfenw*	rhannu
torri	*berfenw*	rhwygo
torri	*berfenw*	talfyrru
torri	*berfenw*	torri
torri asgwrn cefn rhywbeth	*berfenw*	torri
torri calon	*berfenw*	wylo
torri crib ceiliog	*berfenw*	torri
torri gair	*berfenw*	dweud
torri'r garw	*berfenw*	garw
torri'r got yn ôl y brethyn	*berfenw*	torri
torri i lawr	*berfenw*	cwympo
tost	*ansoddair*	gwael
tost	*ansoddair*	poenus
tostio	*berfenw*	coginio
tostrwydd	*enw*	clefyd
töwr	*enw*	crefftwr
tradwy	*enw*	diwrnod
traddodi	*berfenw*	rhoi
traddodiadol	*ansoddair*	hen
trafod	*berfenw*	defnyddio
trafod	*berfenw*	sgwrsio
trafod	*berfenw*	trafod
trafferth	*enw*	ffwdan
trafferth	*enw*	helynt
trafferth	*enw*	problem
trafferth	*enw*	trafferth

trafferth	*enw*	ymdrech
trafford	*enw*	heol
trannoeth	*enw*	diwrnod
trawiad	*enw*	ergyd
trechu	*berfenw*	ennill
trefn	*enw*	patrwm
trefn	*enw*	rheol
trefnu	*berfenw*	gosod
trefnu	*berfenw*	paratoi
trefnu	*berfenw*	cymysgu
trefnus	*ansoddair*	anifail
trefnus	*ansoddair*	taclus
trefnus	*ansoddair*	llac
treiddgar	*ansoddair*	craff
trennydd	*enw*	diwrnod
tri chynnig i Gymro	*berfenw*	cynnig
tric	*enw*	tric
trigo	*berfenw*	aros
trigo	*berfenw*	geni
trimio	*berfenw*	torri
trin	*berfenw*	defnyddio
trin a thrafod	*berfenw*	beirniadu
trip	*enw*	taith
trist	*ansoddair*	siomedig
trist	*ansoddair*	trist
trist	*ansoddair*	hapus
tristwch	*enw*	hiraeth
tro	*enw*	taith
tro gwael	*enw*	gwael
troedio	*berfenw*	cerdded
troi	*berfenw*	newid
troi'n ddrwg	*berfenw*	pydru
trotian	*berfenw*	rhedeg
truenus	*ansoddair*	anffodus
truenus	*ansoddair*	gwael
trwbl	*enw*	ffwdan
trwbl	*enw*	helynt
trwbl	*enw*	trafferth
trwchus	*ansoddair*	tew
trwm	*ansoddair*	ysgafn
trwsgl	*ansoddair*	lletchwith
trwsiadus	*ansoddair*	taclus
trwsio	*berfenw*	rhwygo
trwy drugaredd	*ansoddair*	ffodus
trwy lwc	*ansoddair*	damweiniol
trwynsur	*ansoddair*	sur
trybeilig	*ansoddair*	ofnadwy
trybini	*enw*	helynt
trybini	*enw*	trafferth
trydanol	*ansoddair*	cyffrous
trydar	*berfenw*	dweud
trydar	*berfenw*	gweiddi
tryloyw	*ansoddair*	clir
trylwyr	*ansoddair*	llawn
trysor	*enw*	trysor
trysor	*enw*	sbwriel
trywanu	*berfenw*	lladd
trywydd	*enw*	ôl
tu hwnt i bob rheswm	*enw*	rheswm
turniwr	*enw*	crefftwr
tusw	*enw*	casgliad
twlc	*enw*	cartref
twll	*enw*	cartref
twmpath	*enw*	pentwr
twmpathog	*ansoddair*	garw
twp	*ansoddair*	gwirion
twp	*ansoddair*	ffôl
twp	*ansoddair*	craff
twp	*ansoddair*	doeth
twr	*enw*	casgliad
twr	*enw*	pentwr
twr	*enw*	torf
twrw	*enw*	terfysg
twrw	*enw*	twrw
twt	*ansoddair*	anifail
twt	*ansoddair*	byr
twt	*ansoddair*	taclus
twtio	*berfenw*	gwella
twyllo	*berfenw*	twyllo
twyllodrus	*ansoddair*	gonest
twym	*ansoddair*	poeth
tŷ	*enw*	cartref
tŷ bach	*enw*	ystafell
tŷ bach twt	*enw*	bach
tybio	*berfenw*	credu
tyddyn	*enw*	cartref
tyfu	*berfenw*	ffurfio
tyfu	*berfenw*	tyfu
tyfu	*berfenw*	gwywo
tyngu	*berfenw*	addo
tyle	*enw*	rhiw
tyllog	*ansoddair*	garw
tyllu	*berfenw*	torri
tymer	*enw*	tymer
tymestl	*enw*	storm
tymhestlog	*ansoddair*	garw
tyn	*ansoddair*	tyn
tyn	*ansoddair*	hael
tyn	*ansoddair*	llac
tyner	*ansoddair*	poenus
tyner	*ansoddair*	sensitif
tyner	*ansoddair*	tyner
tynnu	*berfenw*	denu
tynnu llun	*berfenw*	gwneud
tynnu ynghyd	*berfenw*	chwalu
tynnu yn ôl	*berfenw*	cilio

tynnu'n dipiau	*berfenw*	rhwygo
tynnu'n ddarnau	*berfenw*	rhwygo
tynnu'n rhydd	*berfenw*	lapio
tyrfa	*enw*	torf
tyrru	*berfenw*	hel
tywallt	*berfenw*	arllwys
tywydd mawr	*enw*	storm
tywydd teg	*enw*	storm
tywyll	*ansoddair*	anifail
tywyll	*ansoddair*	tywyll
tywyll	*ansoddair*	clir
tywyll	*ansoddair*	plaen
tywyllu	*berfenw*	cysgodi
tywyllu	*berfenw*	disgleirio
tywyllu	*berfenw*	fflachio
tywyllwch	*enw*	golau
tywynnu	*berfenw*	disgleirio

Th

thema	*enw*	pwnc

U

ubain	*berfenw*	wylo
uchel	*ansoddair*	swnllyd
uchel	*ansoddair*	isel
udo	*berfenw*	gweiddi
ufudd	*ansoddair*	da
undeb	*enw*	grŵp
undonog	*ansoddair*	anniddorol
unigryw	*ansoddair*	gwreiddiol
unigolyn	*enw*	grŵp
unigolyn	*enw*	torf
uniongyrchol	*ansoddair*	syth
union	*ansoddair*	syth
uno	*berfenw*	uno
uno	*berfenw*	rhannu
uno	*berfenw*	torri
urddasol	*ansoddair*	bonheddig

W

wado	*berfenw*	bwrw
wal	*enw*	mur
wfftio	berfenw	dweud
whap	*ansoddair*	amser
wir i ti	*ansoddair*	gwir
wir yr	*ansoddair*	gwir
wrth fodd	*berfenw*	hoffi
wrth fodd	*berfenw*	mwynhau
wrth fy modd	*ansoddair*	da
wrth fy modd	*ansoddair*	hapus
wrth gefn	*ansoddair*	sbâr
wrth lwc	*ansoddair*	ffodus
wrth reswm	*enw*	rheswm
wrthi fel lladd nadroedd	*ansoddair*	gweithio
wylo	*berfenw*	wylo
wylo'n hidl	*berfenw*	wylo
wyneb	*enw*	wyneb

Y

y cyfan	*enw*	darn
y funud yma	*enw*	amser
y Gororau	*enw*	ffin
y Gŵr Drwg	*enw*	gŵr
y Pab	*enw*	ficer
y siaced fraith	*ansoddair*	brith
ychwanegu	*berfenw*	dweud
ychydig	*ansoddair*	bach
ychydig	*ansoddair*	prin
ychydig	*ansoddair*	ychydig
ychydig	*enw*	llawer
ychydig is na'r angylion	*ansoddair*	ychydig
yfed	*berfenw*	yfed
yfory	*enw*	diwrnod
ynganu	*berfenw*	dweud
ymadrodd	*enw*	sylw
ymarfer	*berfenw*	ymarfer
ymarferol	*ansoddair*	defnyddiol
ymatal rhag	*berfenw*	pallu
ymdrech	*enw*	ymdrech
ymdrechu	*berfenw*	ceisio
ymdrechu	*berfenw*	ymlacio
ymddangos	*berfenw*	dangos
ymddangos	*berfenw*	diflannu
ymddeol	*berfenw*	gadael
ymddiheuro	*berfenw*	ymddiheuro
ymddiheuro'n llaes	*berfenw*	ymddiheuro
ymddiriedaeth	*cnw*	ffydd
ymddiswyddo o	*berfenw*	gadael
ymestyn	*berfenw*	tyfu
ymfalchïo yn	*berfenw*	edmygu
ymfudo o	*berfenw*	gadael
ymffrostio	*berfenw*	brolio
ymgais	*enw*	ymdrech
ymgeisio	*berfenw*	cynnig
ymgomio	*berfenw*	sgwrsio

ymgynnull	*berfenw*	cyfarfod
ymhen dim	*ansoddair*	amser
ymhen hir a hwyr	*ansoddair*	amser
ymhen hir a hwyr	*ansoddair*	hir
ymlacio	*berfenw*	ymlacio
ymladd	*berfenw*	ymladd
ymledu	*berfenw*	tyfu
ymochel	*berfenw*	cysgodi
ymosod ar	*berfenw*	amddiffyn
ymrafael	*berfenw*	ffraeo
ymrafael	*berfenw*	ymladd
ymresymu	*berfenw*	dadlau
ymryson	*enw*	cystadleuaeth
ymryson	*enw*	dadl
ymryson	*berfenw*	ymladd
ymuno â	*berfenw*	uno
ymweld â	*berfenw*	galw
ymyl	*enw*	ffin
ymyl	*enw*	ochr
yn ara' deg mae dal iâr	*ansoddair*	ansicr
yn ara' deg mae mynd yn bell	*ansoddair*	araf
yn awr	*enw*	amser
yn brifo	*ansoddair*	poenus
yn bur	*ansoddair*	pur
yn chwip o	*ansoddair*	diddorol
yn dal sylw	*ansoddair*	diddorol
yn edifar	*ansoddair*	euog
yn frith o wallau	*ansoddair*	brith
yn fuan	*ansoddair*	amser
yn fy nydd	*enw*	dydd
yn fyw ac yn iach	*ansoddair*	diogel
yn gandryll	*ansoddair*	gwyllt
yn graig o arian	*ansoddair*	cyfoethog
yn gwneud dolur	*ansoddair*	poenus
yn gyfarwydd â	*berfenw*	gwybod
yn gyfrifol	*ansoddair*	euog
yn gynefin â	*berfenw*	gwybod
yn llygad dy le	*ansoddair*	iawn
yn ôl y galw	*berfenw*	galw
yn rhad ac am ddim	*ansoddair*	rhad
yn rhygnu ymlaen	*ansoddair*	anniddorol
yn sicr	*berfenw*	gwybod
yn sydyn	*ansoddair*	amser
yn syth	*ansoddair*	amser
yn syth bìn	*ansoddair*	syth
yn wên o glust i glust	*ansoddair*	hapus
yn wyllt gacwn	*ansoddair*	gwyllt
yn y man	*ansoddair*	amser
yn y man a'r lle	*enw*	lle
yn y niwl	*adferf*	niwl
yn ymyl	*adferf*	agos
ynfyd	*ansoddair*	ffôl
ynfyd	*ansoddair*	gwirion
ynni	*enw*	nerth
yr euog a ffy heb ei erlid	*ansoddair*	euog
ysbaid	*enw*	amser
ysblennydd	*ansoddair*	gwych
ysgafn	*ansoddair*	tyner
ysgafn	*ansoddair*	ysgafn
ysgafndroed	*ansoddair*	sionc
ysgawen	*enw*	coeden
ysgrifennu	*berfenw*	dangos
ysgrifennu	*berfenw*	gwneud
ysgubo	*berfenw*	glanhau
ysgubol	*ansoddair*	gwych
ysgwyd	*berfenw*	chwifio
ysgwyd	*berfenw*	siglo
ysgwyd	*berfenw*	ysgwyd
ysgytwad	*enw*	sioc
ysmala	*ansoddair*	digrif
ystafell	*enw*	ystafell
ystafell fwyta	*enw*	ystafell
ystafell fyw	*enw*	ystafell
ystafell wely	*enw*	ystafell
ystafell ymolchi	*enw*	ystafell
ystwyth	*ansoddair*	sionc
ystyfnig	*ansoddair*	ystyfnig
ystyried	*berfenw*	trafod
ysu	*berfenw*	gobeithio
ywen	*enw*	coeden